CW00747617

Fabian Lenk

Die Zeitdetektive

Verschwörung in der Totenstadt

Fabian Lenk

Die Zeitdetektive

Verschwörung in der Totenstadt

Band 1

Mit Illustrationen von Almud Kunert

Ravensburger Buchverlag

Bibliografische Information der Deutschen Nationalbibliothek

Die Deutsche Nationalbibliothek verzeichnet diese Publikation in der Deutschen Nationalbibliografie.
Detaillierte bibliografische Daten sind im Internet über **http://dnb.d-nb.de** abrufbar.

Produktgruppe aus vorbildlich bewirtschafteten Wäldern und anderen kontrollierten Herkünften

Zert.-Nr. SGS-COC-001940
www.fsc.org
© 1996 Forest Stewardship Council

Das für dieses Buch verwendete FSC-zertifizierte Papier liefert Arctic Paper Mochenwangen GmbH

9 10 11 13 12 11

Umschlag und Innenillustrationen: Almud Kunert
Lektorat: Hjördis Fremgen

Printed in Germany

ISBN 978-3-473-34518-2

www.ravensburger.de
www.fabian-lenk.de
www.zeitdetektive.de

Inhalt

Die geheimnisvolle Tür

Mit heftigen Böen jagte der Herbstwind abgefallene Blätter über das Kopfsteinpflaster. Unablässig prasselte der Regen auf die drei Kinder herab, die geduckt durch die Straßen des malerischen Städtchens Siebenthann liefen, das inmitten einer wehrhaften Stadtmauer kauerte. Mittelalterliche Fachwerkhäuser lehnten sich dicht aneinander, als suchten sie Schutz. Aus den Fenstern der zahlreichen Häuser, Gaststätten und Hotels strahlte warmes Licht.

Die Kinder, zwei Jungen und ein Mädchen, erreichten eine Gasse, die steil bergauf führte. Sie kamen am Rathaus mit seinen zahlreichen Erkern und der Eisdiele *Venezia* vorbei, in der die Freunde oft nach der Schule saßen. Doch heute hatte das Trio keinen Blick für die Eisdiele. Der Regen trieb sie weiter den Hügel hinauf. An einem Brunnen bogen sie links ab. Da lag ihr Ziel: das Benediktinerkloster St. Bartholomäus aus dem Jahr 780.

Ein Blitz teilte die schwarzen Wolkenberge und erhellte für einen Sekundenbruchteil das düstere Gebäude, das einsam und abweisend vor den Freunden aufragte. Heutzutage lebte kein Mönch mehr in den geschichtsträchtigen Mauern. Das Kloster diente jetzt als Museum für mittelalterliche Geschichte und in einem Nebentrakt war eine Bibliothek untergebracht. Und genau dorthin rannten die Freunde.

„Beeil dich, Julian!", rief der 12-jährige Leon, als sie vor der Tür zur Bibliothek standen.

„Hetz mich nicht!", gab der gleichaltrige Julian zurück. Er kramte mit klammen Fingern einen Schlüssel hervor und drehte ihn im Schloss. Die Tür schwang auf. Die Kinder schlüpften in das Gebäude.

Kim schüttelte die Regentropfen aus ihrer braunen Lockenmähne. „Super Wetter", sagte sie und lachte.

Julian betrat die Bibliothek. Wie immer, wenn der schmächtige Junge mit der Stupsnase und den leicht abstehenden Ohren in diese Räume kam, beschlich ihn ein seltsames Gefühl: eine Mischung aus Aufregung und Ehrfurcht. Die uralte Bibliothek schien voller Geheimnisse. Sie erstreckte sich über drei Stockwerke und bestand aus zahlreichen Sälen, Kammern, weit verzweigten Gängen und knarrenden Treppen. Tausende von Büchern, fein säuberlich nach Sachgebieten und Autoren sortiert, standen in den langen Holzregalen.

Die Bibliothek hatte einen öffentlich zugänglichen Teil: die Stadtbücherei Siebenthann. Doch Julian, der Bücherwurm, fand den alten Teil der Bibliothek viel interessanter. Hier wurden besonders schöne und alte Stücke, gut geschützt in temperierten Vitrinen, ausgestellt; unschätzbar wertvolle Bücher mit Goldrändern, historische Landkarten und Schriftrollen in alten Sprachen. Seit Jahrhunderten schon wurden im Kloster Bücher gesammelt und archiviert.

Für Julian war diese Bibliothek der spannendste Ort, den er sich vorstellen konnte. Und seit dem Tod von Opa Reginald vor einem halben Jahr hatte er einen Schlüssel zu diesem Schatz. Julians Opa war der Bibliothekar des Klosters gewesen. Er hatte dafür gesorgt, dass nach seinem Tod sein geliebter Enkel Julian einen Schlüssel zum Reich der Bücher erhalten hatte. Opa Reginald hatte gewusst, dass Julian es sehr schätzen würde, wenn er jederzeit ungehinderten Zugang zur Bibliothek haben würde. Es war auch äußerst praktisch, denn hier fanden er und seine Freunde Material im Überfluss für Hausaufgaben und Referate in ihrem Lieblingsfach Geschichte.

Kim setzte sich auf einen wackligen Stuhl und schlug ihre langen Beine übereinander. Aus ihrem Lederrucksack zog sie einen Schnellhefter und einen Kugelschreiber und legte beides auf den Tisch.

„Kommt, Jungs, lasst uns anfangen", meinte sie unternehmungslustig. Sie strich ein Blatt Papier glatt. „Übermorgen wollen wir doch Tebelmann mit unserem Ägypten-Referat beeindrucken!"

Tebelmann war ihr Geschichtslehrer, ein schüchterner Typ, der immer ein graues Cordsakko trug. Doch Tebelmann hatte die seltene Gabe, den Unterrichtsstoff sehr packend zu vermitteln.

„Schon dabei!", erwiderte Julian, der vor einem Regal mit Geschichtswerken unter dem Sammelbegriff „Alte Geschichte/Ägypten" stand und die Buchrücken studierte. Der Junge mit dem schmalen, klugen Gesicht wusste bereits eine ganze Menge über die alten Ägypter, aber die Pharaonin Hatschepsut war Neuland für ihn. Auch Leon, der einen halben Kopf größer als Julian war, suchte nach der richtigen Lektüre.

Julians Augen huschten an den Bücherreihen entlang. Plötzlich traf ihn ein kalter Windstoß. Julian sah zum Fenster. Offenbar hatte der Sturm es aufgedrückt. Rasch schloss Julian es wieder. Wütend klopfte der Regen an die Scheibe.

Was für ein Unwetter, dachte Julian fröstelnd und setzte seine Suche fort.

„Hier!", rief er plötzlich triumphierend. „Ein ganzer Band über Hatschepsut!"

Julian zog seinen schweren Fund aus dem Regal, trug ihn zu Kim und wuchtete das Buch auf den Lesetisch. Ihm folgte Leon mit einem Atlas. Im trüben Licht einer Leselampe beugten sich die Freunde über die Bücher.

„Klasse!", rief Julian. „In diesem Wälzer finden wir bestimmt genügend Material über Hatschepsut, die Königin vom Nil!"

Schon hatte er die ersten Seiten aufgeschlagen.

„Und auf der Karte in diesem Atlas können wir sehen, wie groß ihr Reich vor 3500 Jahren war", fügte Leon hinzu. „Ich werde die Karte kopieren." Während er mit der rechten Hand zu zeichnen begann, zupfte er mit der linken an seinem Ohrläppchen – wie immer, wenn er sich konzentrierte.

„Hatschepsut regierte Ägypten rund zwanzig Jahre", murmelte Julian, während er die Zeilen studierte. „Sie war sehr beliebt und hat gewaltige Tempel in Theben bauen lassen. Den Totentempel Deir el-Bahari etwa … was für ein Zungenbrecher! Schreib mal auf, Kim. Außerdem war Hatschepsut ziemlich mutig. Sie zog an der Spitze ihrer Truppen in den Kampf und konnte hervorragend mit dem Wurfholz umgehen. Hatschepsut war anscheinend die erste bedeutende Frau der Geschichte!“

„Eine Frau auf dem Pharaonen-Thron, das gefällt mir!“, rief Kim begeistert.

„Das gab damals bestimmt mächtig Ärger“, vermutete Leon, der gerade den Verlauf des Nils abzeichnete.

Abrupt wandte sich Kim Leon zu und fixierte ihn mit ihren bernsteinfarbenen Augen. „Was willst du damit sagen? Glaubst du, eine Frau ist nicht in der Lage, ein Land gut zu regieren?“

„Reg dich wieder ab“, grinste Leon und strich sich eine dunkle Locke aus dem sommersprossigen Gesicht. „Ich meine doch nur, dass Hatschepsut wahrscheinlich viele Feinde gehabt hat.“

„Er hat Recht“, meinte Julian. „Hier steht, dass viele wichtige Männer in Ägypten es als einen Skandal betrachteten, von einer Frau regiert zu werden.“

„So ein Quatsch!“, meinte Kim verächtlich. „Das müssen ziemliche Pfeifenköpfe gewesen sein!“

Im Erfinden und Verteilen von Schimpfwörtern war Kim Spitze.

„Hier steht auch noch, dass es Intrigen im Palast gab – sogar einen Plan, sie zu töten!“, zitierte Julian weiter aus dem Buch. „Tja, der Platz auf dem Pharaonen-Thron garantierte viel Macht und Reichtum. Und das sorgte offenbar auch für Neid. Ich wüsste zu gern, ob es so einen Mordplan tatsächlich gegeben hat und, wenn ja, wer dahinter steckte!“

„Ich auch!“, rief Kim, während sie Julian über die Schulter schaute. „Seht mal, da ist ein Bild von einer Hatschepsut-Büste. Was für eine schöne und stolze Frau! Ihr Leben mit all dem Prunk muss märchenhaft gewesen sein. Ich würde gerne einen Tag mit ihr tauschen.“

„Pharaonin Kim“, feixte Leon. „Eine interessante Vorstellung.“

Kim überhörte die Bemerkung. „Stellt euch vor, was wir für ein anschauliches Referat abliefern könnten, wenn wir in Theben vorbeischauen könnten – im Theben vor 3500 Jahren. Blättere mal um, Julian!“

Doch Julian reagierte nicht. Unverwandt starrte er auf die aufgeschlagene Seite des Buches.

„He, was ist los mit dir?“, wollte Kim wissen.

Julians Gedanken überschlugen sich. Seit dem Tod seines Opas hatte Julian ein Geheimnis vor seinen Freunden. Reginald hatte es ihm in seinem letzten Brief anvertraut. Sollte Julian jetzt seine Freunde einweihen? Oder sollte er schweigen? Ein lautes Krachen ließ ihn zusammenzucken. Ein Blitz musste in der Nähe des Klosters eingeschlagen sein.

„Schläfst du, alter Schnarchzapfen?“, lachte Kim.

Julian sah seine Freunde an. „Nein, natürlich nicht“, sagte er langsam. „Ich hatte gerade eine Idee. Wir könnten nach Theben reisen und ...“

„Klar“, unterbrach Kim ihn. „Wenn uns jemand die Flugtickets zahlt, düsen wir hin.“

„Ich meine nicht das Theben der Gegenwart“, korrigierte Julian sie. „Wir könnten in das Theben des Jahres 1478 vor Christus reisen. Als Hatschepsut zur Pharaonin gekrönt wurde, versteht ihr?“

„Nö“, erwiderte Kim.

„Nö“, meinte auch Leon.

Julian nickte. Natürlich konnten seine Freunde ihm nicht folgen.

„In dieser Bibliothek hier gibt es einen geheimnisvollen Raum“, flüsterte er. Jetzt war es raus. „Einen Zeit-Raum, den mein Opa ‚Tempus‘ genannt hat.“ Julian ließ die Worte wirken.

„Einen Zeit-Raum?“, fragten Kim und Leon wie aus einem Mund.

„Ja“, meinte Julian. „Von dort kann man in die Vergangenheit reisen! Es soll in diesem Raum tausende von Türen geben, für jedes Jahr eine. Man kann durch sie hindurchgehen und gelangt in die jeweilige Zeit. Opa Reginald hat mir dieses Geheimnis mit dem Schlüssel zu Tempus anvertraut."

„Aber woher weißt du, wo du landest?"

„Mein Opa Reginald schrieb, dass man sich nur auf den gewünschten Ort konzentrieren müsse", erläuterte Julian seinen Freunden.

„Das klingt ja irre!" Kim war sofort Feuer und Flamme. „Wir könnten erleben, wie Hatschepsut in Theben regiert hat und vielleicht sogar aufdecken, wer sie umbringen wollte! Aber so richtig glauben kann ich das mit dem Zeit-Raum nicht."

Auch Leon war misstrauisch: „Hast du es schon mal ausprobiert, Julian?"

Julian zog die Schultern hoch. „Äh, nein. Ich habe mich, ehrlich gesagt, allein nicht getraut."

„Wo ist dieser Zeit-Raum?", wollte Kim wissen. „Ich möchte mal einen Blick reinwerfen. Dann sehen wir ja, ob es wahr ist oder nur eine von Opa Reginalds Geschichten. Auf geht's, Jungs!"

„Langsam, langsam", bremste Leon sie. „Nehmen wir mal an, wir kommen per Zeitreise in Hatschepsuts Krönungsjahr an: Wie kommen wir wieder zurück?"

„Na ja", druckste Julian. „Mein Opa schrieb, dass man sich nur den Ort merken müsste, an dem man in der jeweiligen Zeit gelandet ist. Dort gibt es dann eine Art Zeittor in die eigene Gegenwart zurück. Die gesamte Reise soll übrigens nur ein paar Sekunden dauern."

„Also würde es niemandem auffallen, wenn wir weg wären", schloss Leon daraus. „Zeig uns mal diesen Raum, Julian. Dann können wir immer noch ..."

Seine letzten Worte wurden von einem schrecklich lauten Donner verschluckt. Die Scheiben klirrten.

Julian atmete tief durch. „Wir müssen da lang, den Gang runter und dann die Treppe rauf", sagte er.

Draußen tobte der Sturm mit unverminderter Kraft. Unwillkürlich rückten die Kinder dichter zusammen. Sie erreichten eine Wendeltreppe, deren Stiegen ächzten. Oben angekommen tat sich ein weiterer Raum vor ihnen auf, an dessen Stirnseite ein einzelnes Bücherregal stand.

„Dort ist es", flüsterte Julian.

„Aber da ist doch nur ein Regal", erwiderte Leon enttäuscht.

„Das Regal steht auf einer Schiene, die hier im Parkett verborgen ist. Man kann das Regal zur Seite schieben und dahinter liegt eine Tür", wisperte Julian. „Die Tür zu Tempus!"

Mit vereinten Kräften schoben die drei das schwere

Regal beiseite. Das Tor zum Zeit-Raum bestand aus dunklem, fast schwarzem Holz. Es war über und über mit Symbolen verziert. Sterne, Sonnen und Mondsicheln wechselten mit seltsamen Schriftzeichen, Fratzen und Totenköpfen. Matt glänzte der Türgriff im Licht. Die Freunde sahen sich unschlüssig an.

„Okay, wir gehen rein!“, rief Kim aufgeregt. „Das ist eine einzigartige Chance.“

„Meinst du wirklich? Die Sache könnte aber gefährlich werden“, gab Julian zu bedenken.

„Wir tun es“, sagte jetzt auch Leon. Seine Stimme war belegt. „Vielleicht hat sich dein Opa das mit der Zeitreise ja nur ausgedacht.“

Er legte eine Hand auf den Türgriff. Kim folgte seinem Beispiel – und schließlich auch Julian. Noch einmal sahen sich die Freunde an. Dann drückten sie die Klinke gemeinsam hinunter.

Der Puls der Zeit

Mit einem Krachen schlug das Tor hinter den Freunden zu. Bläuliches Dämmerlicht lag in dem Raum. Unscharf waren weitere Türen zu erkennen. Tausende von Türen, die auftauchten und wieder verschwanden. Tempus hatte keinen Anfang und kein Ende. Die Türen öffneten und schlossen sich, quietschten und ächzten. Über den Türrahmen standen Jahreszahlen. Sobald die Türen aufklappten und einen flüchtigen Blick in die düsteren Gänge dahinter erlaubten, drangen Geräusche an die Ohren der Freunde: das Dröhnen von Maschinen, der zarte Klang einer Geige, das Lachen von Kindern, der Geschützdonner einer Schlacht, der Lärm ausgelassener Menschen bei einem Fest. Sirenen gellten, Chöre jubelten, Schüsse knallten, Schreie ertönten, Feuer prasselte, Wasser gurgelte. All das vermischte sich zu einem verwirrenden und ohrenbetäubenden Durcheinander. Unwillkürlich machten Julian, Kim und Leon einen Schritt zurück. Doch das Tor, durch das sie Tempus betreten hatten, war in einem feinen Nebel verschwunden. Es gab kein Zurück.

Angst schnürte den Freunden die Kehlen zu. Andererseits faszinierte sie dieser unwirkliche Raum, der sich ständig veränderte.

„Spürt ihr das?“, rief Julian und deutete auf seine Füße.

Jetzt merkten es auch Kim und Leon: Der Boden schien zu leben – er pochte und pulsierte.

„Der Puls der Zeit“, sagte Julian mehr zu sich selbst.

Kim wagte sich ein paar Schritte auf dem Untergrund vor, der wie ein Herz klopfte. Leon und Julian folgten ihr. Unsicher wankten sie über den sich bewegenden Boden. Gemeinsam versuchten sie, die Jahreszahlen über den Türen zu entziffern.

„Da!“, brüllte Leon plötzlich. „Da steht 1478 vor Christus!“

„Hatschepsuts Krönungsjahr“, murmelte Julian. Er hielt sich die Ohren zu. Der Lärm wurde allmählich unerträglich.

„Kommt, wir wagen es!“, rief Kim.

„Sollen wir nicht lieber den Ausgang suchen?“, meinte Julian.

„Das bringt nichts!“, schrie Kim gegen den Orkan aus Geräuschen an. „Der Ausgang ist weg. Wir werden

den Rückweg nicht finden!" Schon stand sie vor der verschlossenen Tür mit der Zahl 1478.

„Warte!", rief Julian.

„Wo bleibt ihr denn, Jungs?", fragte Kim mit einem herausfordernden Lächeln.

Leon schob Julian zu der Tür und Kim riss sie auf. Ein großes, schwarzes Loch tat sich vor ihnen auf. Die Freunde fassten sich an den Händen und konzentrierten sich intensiv auf Theben. Mit einem Mal war das Rauschen eines gewaltigen Stroms zu hören. Dann wurden sie in die Dunkelheit gezogen. Sie hörten sich selbst schreien.

Plötzlich war es totenstill.

Es war, als glitten sie auf den Schwingen eines Traumes durch eine endlose Nacht. Als die Freunde wieder zu atmen wagten, bemerkten sie, dass sich alles um sie herum verändert hatte. Sie befanden sich nicht mehr im Zeit-Raum. Es war ungewöhnlich warm. Sie spürten Sand unter ihren nackten Füßen.

„Wo, wo sind wir?", fragte Leon verdattert.

„Irgendwo, wo es herrlich warm ist", gab Kim zurück. Hoch über den Freunden funkelten Sterne. Es war Nacht, doch wie spät es war, konnte sie nicht sagen. Kim drehte sich um. Eine mächtige Dattelpalme ragte unmittelbar hinter ihr in den Himmel. „Ich habe das Gefühl, dass wir gerade durch diese Palme gekommen sind“, sagte Kim leise. „Wie ist das möglich?“

„Keine Ahnung“, erwiderte Julian. „Das wird das Geheimnis des Zeit-Raums bleiben. Wir sollten uns aber diese Palme gut merken – wegen der Rückreise! Seht, daneben steht ein verfallenes Haus. Und dort ist ein Ziehbrunnen.“ Julian speicherte die Fakten in seinem Gedächtnis ab. Dann huschte ein Lächeln über sein Gesicht. „Jedenfalls scheint die Zeitreise geklappt zu haben. Ich habe doch gewusst, dass Opa Reginald keine Märchen erzählt hat!“

„He, ihr seht echt toll aus! Wie Tarzan im Doppelpack!“, lachte Kim.

Leon und Julian standen nur mit einem Lendenschurz bekleidet im schwachen Mondlicht.

„Du siehst auch nicht schlecht aus“, gab Leon zurück.

Kim trug ein eng anliegendes weißes Leinenkleid, das von zwei breiten Trägern über den Schultern gehalten wurde.

„Scheint, als wären wir tatsächlich in Ägypten gelandet!“, rief Julian begeistert. „Jedenfalls trugen die alten Ägypter solche Klamotten. Das habe ich in einem der Bücher gesehen.“

„Total abgefahren“, meinte Kim. „Das kommt mir

alles wie ein Traum vor! Hört ihr auch dieses laute Rauschen?“

„Ja“, sagte Julian. „Klingt ganz nach einem Fluss. Vermutlich sind wir in der Nähe des Nils! Theben liegt ja am Nil.“

„Und was jetzt? Wie gehen wir weiter vor?“, fragte Leon.

„Wir suchen den Palast von Hatschepsut“, meinte Kim, als wäre das das Selbstverständlichste von der Welt.

Das Trio lief Richtung Fluss und erreichte den Hafen im östlichen Teil von Theben. Das Mondlicht ließ das Wasser des riesigen Stroms silbern glitzern. Fischerboote aus gebündeltem Schilf lagen am Ufer, große Netze waren zum Trocknen ausgebreitet. Kurze, breite Flachkähne aus Akazienholz warteten vertäut auf ihren nächsten Einsatz. Daneben schaukelten im Wasser einfache Barken, die von Ruderern angetrieben werden konnten, und Galeeren mit großen Segeln. Um den Hafen gruppierten sich zahlreiche Schenken, aus denen Lärm drang. In den schmalen Gassen war nicht viel los. Zwei Männer torkelten Arm in Arm an Julian, Kim und Leon vorbei und grölten ein Liebeslied.

„Ich glaube, wir sind nicht in der besten Gegend von Theben gelandet“, meinte Leon mit einem Seitenblick auf eine Gestalt, die ihn und seine Freunde sehr genau beobachtete.

„Seht mal!", rief in diesem Moment Julian. „Dort ist ein Palast!"

Ein Stück hinter dem Hafen erhob sich ein stattlicher Bau mit hohen Mauern. Der Palast wurde von tausenden von Öllampen erhellt, die wie unzählige funkelnde Sterne wirkten.

„Ja, das wird er sein … der Palast von Hatschepsut", flüsterte Kim ehrfürchtig. „Kommt!"

Die Jagd

Theben bestand aus einem Gewirr von Straßen, Plätzen, winzigen Durchlässen und Sackgassen. Die einfachen Häuser drängten sich dicht an dicht und ragten bis zu vier Stockwerke in die Höhe. Die Freunde liefen eine unbefestigte Straße entlang. Nach und nach ebbte der Lärm aus den Schenken ab. Die Straße wurde breiter und mündete auf einen Platz. Plötzlich standen die drei vor zwei mächtigen, etwa 25 Meter hohen Obelisken, die mit rätselhaften Symbolen verziert waren. Dahinter erhob sich der *Pylon* eines gewaltigen Tempels, trutzig, massiv, gebaut für die Ewigkeit.

„Dort liegt der *Naos*", sagte Julian ehrfürchtig.

„Der wer?", wollten Kim und Leon wissen.

Julian seufzte. „Das ist der Schrein, der einem Gott als Wohnort dient. Habt ihr in Geschichte nicht aufgepasst?"

„Doch klar, aber alles merke ich mir nun auch nicht", meinte Kim leicht verschnupft.

„Also, das ist so", hob Julian an. „Im Naos befindet sich …"

„Schon gut, Julian", bremste Leon ihn. „Erklär uns das ein anderes Mal. Ich glaube, es macht keinen guten Eindruck, wenn wir nachts vor einem Heiligtum herumlungern."

Julian hob bedauernd die Schultern. „Wie ihr meint. Dann lasst uns weiter zum Palast gehen." Rasch warf er noch einen letzten Blick auf den beeindruckenden Pylon, dann folgte er seinen Freunden, die bereits den Platz verlassen hatten und wieder in das Gassengewirr eingetaucht waren.

Obwohl es Nacht war, schien die Stadt Theben nicht zu schlafen. Immer wieder huschten Schatten durch die Gassen. Personen, die es offenkundig sehr eilig hatten. Julian überlegte, ob diese nächtlichen Gestalten Diebe waren oder ob sie eher selbst Angst vor Überfällen hatten und diese Furcht ihre Schritte beschleunigte.

„Hier geht's nicht weiter", sagte Kim in diesem Moment.

Julian stöhnte. Schon wieder waren sie in eine besonders düstere Sackgasse geraten. Dabei schien der Palast der Pharaonin greifbar nah. Je näher sie kamen, umso gewaltiger wirkte der Bau. Julian drehte sich um und erstarrte. Ein Fauchen war zu hören, dann flog etwas auf Julian zu. Instinktiv duckte er sich. Ein Schatten sauste dicht an seinem Kopf vorbei.

„War nur eine Katze“, meinte Leon lachend. „Du bist doch wirklich ein ...“

„Klappe! In Deckung!“, rief Kim und zog ihre Freunde hinter eine Hausecke.

Ein Mann rannte auf sie zu. In der einen Hand hielt er ein Netz, in der anderen einen Dolch. Die Katze stand vor der hohen Mauer am Ende der Sackgasse und versuchte hinaufzuspringen, aber es gelang ihr nicht. Das Hindernis war zu hoch für sie. Jetzt war der Mann mit dem Messer nur noch wenige Meter von ihr entfernt. Die Katze ließ ihn nicht aus den Augen. Die Ohren waren flach an den Kopf gepresst. Der Schwanz war gesenkt und schlug schnell hin und her. Die Katze hatte große Angst. Langsam kam der Mann auf das Tier zu. Die Klinge des Dolchs blitzte im Mondlicht auf. Dann warf der Mann das Netz. Die Katze machte einen Satz zur Seite, aber es war zu spät. Sie verhedderte sich hoffnungslos in den engen Maschen.

„Jetzt habe ich dich!“, triumphierte der Mann. Vorsichtig kam er dem strampelnden Bündel näher.

„Er will die Katze töten!“, flüsterte Kim. Ohne zu zögern trat sie hinter der Hausecke hervor und rief dem Mann mit dem Dolch zu: „Lass sie in Ruhe, du Tierquäler!“

„Was geht dich das an? Verschwinde!“, herrschte dieser das Mädchen an. Aber er schien unschlüssig, ob er sich um die Katze oder um Kim kümmern sollte.

Kim nahm ihm die Entscheidung ab. Blitzschnell hatte sie sich gebückt. Sie griff in den Sand und warf ihn dem Mann ins Gesicht.

„Das wirst du mir büßen! Bei *Osiris*!“, brüllte der Mann und rieb sich die Augen. Diesen Moment nutzte Kim und schnappte sich das Netz mit der tobenden Katze. Kim hielt ihren Fang am gestreckten Arm von sich, um nicht von den scharfen Krallen des Tieres verletzt zu werden. Dann rannte sie los, ihre Freunde im Schlepptau.

„Na wartet!“, schrie der Mann wütend und nahm die Verfolgung auf.

Die Freunde hetzten ziellos durch das Labyrinth der Gassen. Sie gelangten auf einen Platz mit einigen Dattelpalmen, von dem vier Wege abgingen.

„Wohin?“, fragten Leon und Julian atemlos.

„Woher soll ich das wissen?“, gab Kim leicht verzweifelt zurück.

Die Katze tobte noch immer im Netz. Kim war klar, dass sie das Tier möglichst bald befreien musste. Also galt es, den Verfolger endlich abzuschütteln. Nur wie? Sie warf einen Blick über die Schulter. Der Kerl kam rasch näher. Nervös biss sich Kim auf die Unterlippe. Wohin? Da entdeckte sie eine Treppe, die auf das Dach eines Gebäudes führte. Kurz entschlossen rannte Kim die Treppe hinauf. Ihre Freunde folgten ihr. Auf dem Dach waren Lehmziegel gelagert. Offenbar wollte der Besitzer sein Haus umbauen. Kim drückte Julian das Netz mit der Katze in die Hand, packte einen der herumliegenden Lehmziegel und hielt ihn hoch über den Kopf.

„Bleib, wo du bist!", schrie Kim den Verfolger an, der bereits den Fuß der Treppe erreicht hatte.

Der Mann zögerte, als er sah, dass auch Leon sich mit einem Wurfgeschoss bewaffnet hatte.

„He, was ist da los?", ertönte in diesem Moment eine ärgerliche Stimme. Eine Frau streckte ihre Nase aus der Tür des angrenzenden Hauses. „Ruhe! Gebt endlich Ruhe, ihr Trunkenbolde!"

Der Mann mit dem Dolch beachtete sie nicht. Sein Blick war starr auf das Netz in Julians Hand gerichtet.

„Hört ihr nicht?", keifte die Stimme aus dem Nachbarhaus. „Verschwindet hier und lasst ehrbare Menschen endlich schlafen! Hoffentlich kommen gleich die *Medjai* und sperren euch ein!"

Bei der Erwähnung der Polizeihilfstruppen, die im nächtlichen Theben für Ruhe und Ordnung sorgten, kam Bewegung in den Mann mit dem Dolch. Er machte auf dem Absatz kehrt und verschwand in einer der dunklen Gassen. Erleichtert kletterten die drei Freunde vom Dach herunter.

„Puh, das war knapp!“, meinte Kim, während sie Julian das zappelnde Bündel abnahm. Beruhigend sprachen sie auf die Katze ein. Dabei hatten die Freunde zum ersten Mal die Gelegenheit, das Tier in Ruhe anzusehen.

Es handelte es sich um eine ungewöhnlich schöne Katze mit einem goldbraunen, seidig glänzenden Fell. Die Flanken waren heller gefärbt. Der Kopf war eher schmal, die Nase flach und ihre weit aufgerissenen Augen schimmerten smaragdgrün. Der Körper war feingliedrig und muskulös. Mit unvermindertem Elan versuchte das Tier weiter, sich aus dem Netz zu befreien.

„Warum wollte der Kerl das Tier töten?“, wunderte sich Julian.

Kim zuckte mit den Schultern. „Gute Frage. Ich fürchte, dass wir sie nicht beantworten können. Aber jetzt sollten wir erst einmal schauen, dass wir die Katze aus dem Netz herausbekommen. Helft mir mal, aber achtet auf die Krallen!“

Die drei kamen nicht weit. Plötzlich hörten sie Schritte hinter sich. Ein Trupp Polizisten, ausgerüstet mit Fackeln und Krummschwertern, strömte auf den Platz. Der Hauptmann deutete auf die Kinder und rief: „Stehen bleiben!"

„Ich glaube, jetzt haben wir ein Problem!", flüsterte Julian.

Der Hauptmann, ein Hüne mit breiten Schultern und kahl rasiertem Schädel, kam auf das Trio zu, riss Kim die Katze aus den Händen und beäugte sie im Lichtschein einer Fackel.

„Tatsächlich, es ist Kija, die heilige Katze der Pharaonin!", stieß er hervor. „Ich danke *Bastet,* dass wir sie gefunden haben!" Er übergab das Tier einem der Männer und wandte sich nun wieder an die Freunde. „Ihr habt die Katze der Pharaonin geraubt. Das wird euch teuer zu stehen kommen", zischte der Hauptmann.

„Nein, so war es nicht", wagte Julian zu widersprechen. „Wir haben die Katze doch …"

„Schweig!", herrschte der Hauptmann ihn an. „Wir schaffen euch zur göttlichen Hatschepsut. Sie soll selbst über euch richten." Er lächelte dünn. „Wobei ich mir bei einem solchen Vergehen nur die Todesstrafe vorstellen kann."

Audienz bei einer Göttin

Die Polizisten nahmen das Trio in die Mitte und trieben es auf den Palast zu.

„Die Katze der Königin", flüsterte Leon. „Wenn ich das gewusst hätte ..."

„Was dann?", fragte Kim ebenso leise. „Hättest du sie dem Typ mit dem Dolch überlassen wollen?"

„Nein", erwiderte Leon kleinlaut. „Aber wegen dieser Katze stecken wir jetzt echt in der Patsche."

„Nur Mut", meldete sich Julian zu Wort. „Vielleicht können wir Hatschepsut davon überzeugen, dass wir ihrer Kija das Leben gerettet haben!"

Seine Freunde schwiegen bedrückt. Inzwischen hatten sie den äußeren Bereich der gewaltigen Palastanlage erreicht. Hier befanden sich unscheinbare Häuser, in denen die Diener lebten. Sie gelangten an einigen Wachen vorbei durch ein monumentales Tor auf einen Hof, der von Hatschepsut-Statuen umrahmt war. An den Hof schlossen sich die so genannten offiziellen

Räume des Palastes an: Die Polizisten trieben die Kinder an verlassenen Schreib- und Beamtenstuben, Galerien, Prunkzimmern und Empfangssälen vorbei. Schließlich erreichte der ungewöhnliche nächtliche Trupp die Privatresidenz der Pharaonin. Neben der vergoldeten Doppeltür standen zwei reich verzierte Statuen: *Hathor*, die Himmelsgöttin und *Re*, der falkenköpfige Sonnengott. Zwei Diener öffneten mit unbeweglichen Gesichtern die Doppeltür.

Die Kinder betraten mit klopfenden Herzen den heiligsten Raum des Palastes. Ihre Münder klappten auf. Eine solche Pracht hatten sie noch nie gesehen. Der Boden war vergoldet, die Wände des Saales waren über und über mit Götterdarstellungen aus reinem Gold sowie silbernen Bäumen und Tieren verziert. An der Decke funkelten herrliche Einlegearbeiten aus dunkelblauem *Lapislazuli*-Stein. Und auf dem *Horus*-Thron aus purem Gold saß eine bildschöne Frau Mitte zwanzig, die Göttin vom Nil. Krummstab und Wedel hielt sie fest in den Händen. Die Pharaonin war in orangefarbenes Leinen gekleidet und trug ein *Diadem* mit glitzernden Steinen. Ihr Kopf war mit einem gelb-schwarz gestreiften Tuch bedeckt, dessen Seitenteile auf ihre Schultern niederfielen. Am Stirnband, das das Tuch hielt, war das Symbol der absoluten Macht befestigt: *Sechemty,* die Doppelkrone mit dem Geier und der Furcht einflößenden *Uräusschlange.*

Hatschepsuts schönes Gesicht mit den mandelförmigen Augen, dem vorspringenden Kinn und der leicht gebogenen Nase verriet Neugier, als sich der Hauptmann vor ihr auf den Boden warf und mit der Stirn die Steinfliesen berührte. Julian, Kim und Leon folgten seinem Beispiel. Die Pharaonin gestattete ihnen, sich wieder aufzurichten. Während der Polizist seine Version von den Vorfällen im Hafenviertel von Theben erzählte, verfinsterte sich die Miene der Pharaonin. Doch als der Hauptmann einem seiner Männer ein Zeichen gab und dieser die Katze hereinbrachte, lächelte Hatschepsut.

„Diese Kinder haben Kija entführt, mächtiger Horus", fasste der Hauptmann am Ende seines Berichts zusammen und verneigte sich erneut. Dann trat er ein paar Schritte zurück.

Hatschepsut musterte das Trio aufmerksam und streng. Inzwischen hatte sich Kija beruhigt und strich der Pharaonin um die Beine. Dann setzte sich die Katze hin und leckte ihr Fell.

„Diese drei Streuner vergreifen sich also an meinem Eigentum", stellte

die Herrscherin fest. Ihre Stimme klang hart und wütend. „Reichlich kühn, um nicht zu sagen: dreist. Wer seid ihr überhaupt?“

Julian wagte es, der Pharaonin direkt in die Augen zu sehen. Es kostete ihn viel Kraft, ihrem Blick standzuhalten. Aber er wusste, dass er etwas unternehmen musste, wenn er und seine Freunde dieses Abenteuer lebend überstehen wollten. Seine Gedanken überschlugen sich. Er musste sich möglichst schnell eine überzeugende Geschichte einfallen lassen.

„Unser kleines Dorf wurde von einem räuberischen Wüstenstamm überfallen. Wir drei konnten uns verstecken und mussten mit ansehen, wie unsere Eltern als Sklaven verschleppt wurden“, begann er.

Er bemerkte, dass ihn Kim und Leon bewundernd anschauten. Das Reden und Geschichtenerfinden war schon immer Julians Stärke gewesen.

„Der Hunger trieb uns aus unserem zerstörten Dorf“, fuhr Julian fort. „Ziellos wanderten wir umher, bis wir schließlich zum Nil kamen. Ein Handelsschiff nahm uns flussabwärts mit. Der Schiffsführer war zunächst sehr nett, aber dann merkten wir, dass er uns auch als Sklaven verkaufen wollte. In Theben gelang uns gestern die Flucht. Dort lief uns dann Kija über den Weg.“

Hatschepsut zog die Augenbrauen hoch. Julian betete, dass sie ihm glaubte.

„Eine abenteuerliche Geschichte", sagte die Pharaonin wenig überzeugt. „Aus welchem Dorf kommt ihr denn?"

Julian geriet in Panik. Mit dieser Frage hatte er nicht gerechnet. Leon kam ihm zu Hilfe. Durch das Abzeichnen der Karte in der Bibliothek hatte er die Geografie der Region im Kopf.

„Von der Kurkur-Oase in Nubien", antwortete er der Pharaonin rasch.

Langsam nickte Hatschepsut. „Diese Oase kenne ich. Aber warum wolltet ihr meine Kija fangen oder gar töten?"

„So war es ja gar nicht", sagte Julian, der sich wieder gefasst hatte. „Wir wollten der Katze nichts tun. Im Gegenteil, wir haben sie vor einem Mann mit einem Dolch gerettet."

Kim und Leon nickten zustimmend.

Hatschepsut lachte hell auf. „Wie kommt es dann, dass sie in einem Netz gefangen war? Rettet man so eine Katze?"

Erneut redete Julian. Er redete um sein Leben – und um das seiner Freunde. Doch Hatschepsut schien nicht allzu beeindruckt. Während sie zuhörte, fütterte sie die Katze mit kleinen Fleischhäppchen, die ihr ein Diener reichte.

„Das klingt alles nach Ausflüchten“, sagte die Pharaonin. Sie schnippte mit den Fingern. Ein weiterer Höfling eilte heran. Leise gab Hatschepsut ihm ein paar Anweisungen. Julian ahnte, dass es schlecht um sie stand.

Doch da bekamen die drei Freunde unerwartete Unterstützung: Kija verließ ihren Platz zu den Füßen der Pharaonin und stolzierte auf die Kinder zu. Ihre Bewegungen waren langsam und majestätisch und glichen denen einer Balletttänzerin. Kija stupste die Kinder nacheinander mit der Nase an und rieb ihr Köpfchen an ihren Beinen. Kim traute sich, die göttliche Katze zu streicheln. Mit unergründlichen grünen Augen schaute Kija das Mädchen an. Dann begann sie behaglich zu schnurren. Irritiert beobachtete Hatschepsut die Szene.

„Seht“, meldete sich Julian jetzt wieder zu Wort. „Kija hat keine Angst vor uns. Das zeigt doch, dass wir …“

„Schon gut“, unterbrach die Pharaonin ihn. „Mir scheint, ihr sprecht die Wahrheit und habt Kija tatsächlich gerettet. Sonst würde Kija euch eher die Augen auskratzen als sich von euch anfassen zu lassen.“

Julian, Kim und Leon atmeten auf. Aber was würde jetzt weiter mit ihnen geschehen?

„Der Mann mit dem Dolch: Wie sah der denn aus?“, wollte Hatschepsut als Nächstes wissen.

Doch das Trio konnte ihr nur eine äußerst vage Beschreibung geben. Es war einfach zu dunkel gewesen.

Enttäuscht sagte die Pharaonin zum Hauptmann: „Durchkämmt das Hafenviertel. Befragt die Leute, die dort wohnen. Vielleicht hat jemand etwas beobachtet.“ Dann erhob sich Hatschepsut. „Es ist spät“, sagte sie. „Ich werde mich jetzt in meine Schlafgemächer zurückziehen. Die drei Kinder aus der Oase sollen am Leben bleiben und im Palast beschäftigt werden – als Zeichen meiner Dankbarkeit. In der Küche gibt es schließlich immer etwas zu tun. Und jetzt komm, Kija!“

Doch die Katze ließ sich weiter von Kim streicheln.

„Kija!“

Zögernd wandte sich die Katze von ihrer neuen Freundin ab und folgte der Pharaonin. Noch einmal drehte sich das elegante Tier um und warf dem Trio einen Blick zu. In den schräg stehenden, klugen Augen lag etwas Wissendes.

Der Hauptmann führte Julian, Kim und Leon aus dem prunkvollen Raum. Über Treppen und durch Gänge ging es zurück zu den einfachen Unterkünften der Diener. Mürrisch wies der Hauptmann Julian, Leon und Kim eine Kammer zu und warf die Holztür hinter ihnen zu.

Der kleine Raum wurde von einer Öllampe erhellt. Auf dem Boden lagen drei Binsenmatten und in einer Ecke stand ein Krug mit Wasser. Weitere Einrichtungsgegenstände gab es nicht.

„Willkommen in unserem neuen Zuhause“, grinste Kim. „Wirklich nett hier!“

„Sei froh, dass wir nicht im Kerker gelandet sind!“, meinte Julian.

Leon legte ihm eine Hand auf die Schulter. „Das war echt gut vorhin“, sagte er anerkennend. „Deine Geschichte hat uns womöglich das Leben gerettet.“

Bescheiden winkte Julian ab. „Deine Idee mit der Oase war auch nicht schlecht.“

„Vergesst Kija nicht! Zum Glück hat sie uns freundschaftlich begrüßt!“, warf Kim ein und legte sich auf eine der Matten. „Oh, ganz schön hart! Aber wir werden uns daran gewöhnen.“

„Ein faszinierendes Tier“, meinte Julian und gähnte. „Sie ist anders als alle Katzen, die ich bisher gesehen habe.“

„Ja“, stimmte Leon ihm zu. „Kija ist wirklich anders. Klug und sehr rätselhaft.“

Kim hatte die Arme hinter dem Kopf verschränkt. „Rätselhaft ist das richtige Stichwort, Jungs: Wir müssen herausfinden, warum der Kerl Kija töten wollte. Und damit sollten wir gleich morgen anfangen."

Der erste Anschlag

Bei Tagesanbruch fuhren die ersten Fischer auf den Nil hinaus, um Barben und Welse oder sogar einen *Latos,* einen großen Nilbarsch, zu fangen. Da es noch angenehm kühl war, begannen die Bauern jetzt schon, ihre Felder zu bestellen. Ochsen wurden vor den Pflug gespannt und legten sich ins Zeug. Die aufgehende Sonne tauchte den Palast in ein sanftes, rötliches Licht. Weniger sanft wurden die drei Freunde geweckt. Die Tür zu ihrer Kammer flog auf und ein Junge in ihrem Alter erschien.

„Aufwachen!", rief er fröhlich und klatschte ein paarmal in die Hände. „Ihr müsst die Neuen sein. Kommt, in der Küche gibt es eine Menge zu tun!"

Schlaftrunken standen Julian, Kim und Leon auf.

„Ich bin Ani, einer der Küchenhelfer! Ich soll euch in eure Arbeit einweisen!", rief der junge Ägypter, der die typische seitliche Jugendlocke trug. „Beeilt euch, sonst wird unser Küchenvorsteher Rechmire sauer."

Oberflächlich wuschen sich die drei Freunde an einem Brunnen vor dem Haus. Dabei stellten sie sich Ani vor.

„Das sind komische Namen", lachte Ani. „Aber macht ja nichts. Folgt mir!"

Ani führte sie in die Palastküche. Dort herrschte rege Betriebsamkeit. Ani erklärte, wer hier für welche Aufgabe zuständig war. Diener huschten mit Tonschüsseln voller Fleisch, Früchten und Brot sowie randvoll gefüllten Krügen hinein und hinaus. An langen Tischen wurden Unmengen von Gemüse klein geschnitten. In einer Ecke stand ein großer Ofen, in dem Brot gebacken wurde. Andere Helfer waren damit beschäftigt, *henket* zu brauen, ein Gerstenbier, das mit Gewürzen und Datteln schmackhaft gemacht wurde. Aus etikettierten Krügen wurde *irep* gezapft, ein mit Honig gesüßter Wein. Zwei Frauen nahmen Fische aus, zwei andere rupften Wachteln. Auf einem Hackklotz portionierte ein Metzger große Rindfleischstücke. Im angrenzenden Hof prasselten Feuer in mehreren Grillstellen. Überall in der Küche dampfte und qualmte es, und über alles legte sich der Geruch nach scharfen Gewürzen.

„Schneller, schneller, schneller!", kommandierte eine helle Stimme. Sie gehörte zu Rechmire, einem ungewöhnlich dicken Mann, der mit puterrotem Kopf in der Mitte der rußgeschwärzten Halle stand und versuchte den Überblick zu behalten. Rechmire trug eine fleckige Schürze über seinem kugelförmigen Bauch, an der er ständig seine Hände abwischte. Man habe ihm, so erzählte Ani den Freunden leise, den Spitznamen „Nilpferd“ verpasst, weil er einen bulligen Kopf, kleine abstehende Ohren und ein großes Doppelkinn hatte.

„Da bist du ja endlich, Ani!“, rief er und tupfte sich den Schweiß von der Stirn. „Gut, dass du die Neuen mitgebracht hast!“ Er kam zu ihnen und strich ihnen freundlich über die Haare. „Hoffentlich stellt ihr euch auch geschickt an. Heute muss schließlich alles wie am Schnürchen laufen. Und jetzt macht euch nützlich. Die Jungen sollen Feuerholz herbeischaffen. Das Mädchen kann helfen, die Gurken mit Fleischpaste zu füllen. Aber denk daran: Die gehören zu Hatschepsuts Lieblingsspeisen! Mach schnell ... sonst schaffen wir das bis zum Bankett heute Mittag nicht! Ich bete zu *Amun*, dass nichts schief geht! Sonst lande ich bei den Krokodilen!“

Während Julian und Leon zum Holz holen geschickt wurden, schob Ani Kim zu einem Arbeitstisch.

„Nachher gibt es ein festliches Bankett“, erklärte er,

während er Kim ein Messer gab, mit dem sie die Gurken aushöhlen konnte. „Unsere göttliche Hatschepsut speist mit Inebny, dem Vizekönig von Nubien, der seit zwei Tagen im Palast zu Gast ist.“ Ani begann, eine Gurke zu schälen. Dann senkte er die Stimme: „Ich habe gehört, dass Inebny Hatschepsut zur Frau nehmen wollte. Das ist der neueste Palastklatsch! Aber unsere Pharaonin hat ihn nicht erhört. Und jetzt ist der Vizekönig erzürnt.“

„Ihr sollt aufhören zu quatschen!“, brüllte Rechmire. „Was machen die Gurken?“

Ani und Kim arbeiteten einige Minuten schweigend weiter.

Ein abgewiesener Vizekönig … das klang spannend, fand Kim.

„Und wie geht es weiter?“, fragte sie leise.

„Vizekönig Inebny ist sehr wütend, sagt man, weil er nicht gewohnt ist, dass man ihm einen Wunsch abschlägt. Er ist sehr stolz, gilt als brutal und jähzornig“, wisperte Ani. „Die Diener versuchen, ihm aus dem Weg zu gehen. Hoffentlich reist er bald wieder ab.“

Kim nickte. Ein anderer Gedanke war ihr gekommen. „Hast du gehört, ob man den Mann geschnappt hat, der Kija töten wollte?“

Ani stopfte sich ein Stück Gurke in den Mund. „Bisher wurde niemand festgenommen, soviel ich weiß.“

„Ich habe auch Hunger“, meldete sich Kim. Ani nickte, flitzte durch die riesige Küche und kehrte mit warmem Brot, ein paar saftigen Trauben und einem Krug mit *irtet*, frischer Milch, zurück.

„Rechmire ist streng“, erklärte Ani. „Doch wenn jemand Hunger verspürt, hat er dafür immer Verständnis.“

„So sieht er auch aus“, meinte Kim und grinste.

„Hüte deine Zunge!“, warnte Ani sie. „Rechmire kann dich auspeitschen lassen.“

„Schon gut“, sagte Kim rasch. Mit ihren Lästereien hatte sie sich schon öfter Ärger eingehandelt, aber sie konnte es einfach nicht lassen. Doch im alten Ägypten würden die Strafen zweifellos härter ausfallen als im heimischen Siebenthann ... Kim nahm sich fest vor, ihre Zunge im Zaum zu halten.

„Kannst du dafür sorgen, dass auch Julian und Leon etwas zu essen bekommen?“, bat sie.

Wieder nickte Ani und gab einem anderen Küchenjungen ein Zeichen.

„Aber zurück zu Kija: Kannst du dir vorstellen,

warum jemand versucht hat, die Katze töten?", fragte Kim kauend.

Ani zog die Schultern hoch. „Vielleicht hat es damit zu tun, dass Kija keine gewöhnliche Katze ist …"

„Wie meinst du das?", wollte Kim wissen. Es war wirklich ein großer Vorteil, dass Ani den ganzen Palastklatsch kannte und so gern redete.

„Kija ist ein heiliges Tier. Sie stammt aus dem Tempel der Bastet und steckt voller Geheimnisse. Außerdem ist sie unendlich klug", meinte Ani ehrfurchtsvoll. „Niemand wird aus ihr so richtig schlau – außer Hatschepsut. Man sagt, dass Kija die Herrscherin vor Gefahren warnt. Die Katze gilt als ihre beste Leibwächterin."

Kim verschlug es den Atem. „Vielleicht hat man deshalb versucht, Kija zu töten!", entfuhr es ihr.

„Die Gurken, ich brauche die Gurken!", rief Rechmire. Sein großer, runder Kopf tauchte wie ein roter Mond hinter den Kindern auf. „Wie sieht's aus?"

„Gleich fertig, Rechmire!", antwortete Ani schnell und füllte eine der Gurken mit der wohlriechenden Fleischpaste.

Rechmire ging kopfschüttelnd weiter zu einem anderen Arbeitstisch, schlug die Hände zusammen und jammerte: „Wir werden nicht fertig, nein, wir werden niemals fertig. Und ich lande bei den Krokodilen! Amun steh mir bei!“

Als der Küchenvorsteher außer Hörweite war, fuhr Ani fort: „Unsere Herrin hat leider viele Feinde in Theben, seit sie vor kurzem zur Pharaonin gekrönt wurde. Hochrangige Priester, hört man, trachten ihr nach dem Leben. Sie wollen nicht von einer Frau regiert werden. Ihrer Meinung nach gehört Thutmosis III. auf den Thron. Das ist der Sohn von Hatschepsuts verstorbenem Mann, Thutmosis II., und einer seiner Nebenfrauen. Aber Thutmosis III. ist ja noch ein Kind und kann die Regierungsgeschäfte nicht führen!“

„Aber ein Kind kann man viel besser lenken, wenn man seine eigenen Machtinteressen durchsetzen will“, erklärte Kim. „Die selbstbewusste Hatschepsut hingegen lässt sich von den Priestern sicher nichts sagen.“

Kims Gedanken überschlugen sich: ein abgewiesener Vizekönig und machtversessene Priester. Zweifellos gab es im Palast genügend Personen, die es auf das Leben der schönen Königin abgesehen haben könnten. Das musste sie unbedingt Julian und Leon erzählen. Kim legte das Messer beiseite und sah sich um. Gerade kamen ihre Freunde herein, beladen mit Körben voller Äste und Holz.

Erstaunt bemerkte Kim, dass Kija bei ihnen war!

Geschmeidig sprang die Katze auf den Tisch und lief auf Kim zu. Sie nahm Kija in den Arm und streichelte sie. Bei Tageslicht war die Katze noch schöner, fand Kim. Das Mädchen stibitzte ein Stückchen Fisch und fütterte Kija damit.

„Ich glaube, du hast einen leichteren Job als wir“, stöhnte Julian. „Die Körbe werden langsam schwer.“

„Ach was“, widersprach Leon. „Dafür arbeiten wir meistens an der frischen Luft und sitzen nicht hier in der stickigen Küche.“

„Hört mal her!“, sagte Kim, zog die Freunde aufgeregt beiseite und berichtete ihnen, was sie von Ani erfahren hatte.

„Hatschepsut ist anscheinend in großer Gefahr“, vermutete Julian, als Kim fertig war.

„Und Kija ist es auch“, fügte Kim hinzu. Die Katze lag in ihrem Arm, ließ sich den Rücken massieren und schnurrte mit halb geschlossenen Augen. „Also müssen wir gut aufpassen!“

Nubiens Vizekönig Inebny war ein großer, dunkelhäutiger Mann, der ganz offensichtlich schlechte Laune hatte. Das stellte Kim fest, als sie später mit einigen anderen Dienern die verschiedenen vorbereiteten Speisen in einem der Prunksäle auftrug. Julian und Leon mussten weiter in der Küche schuften.

Mürrisch saß Inebny mit einem seiner Diener an seinem Tisch und sprach kein Wort. Im Saal tafelten an die fünfzig Personen. Neben Inebny und seinem Begleiter waren es einige hohe Regierungsbeamte und Freunde der Familie. Die meisten Männer trugen Perücken, auf denen Duftkegel befestigt waren, die bei der großen Hitze langsam schmolzen und einen zart würzigen Geruch verbreiteten. An der Stirnseite des Raumes thronte die Herrscherin mit der Kobrakrone. Hinter ihr stand ein Sklave und fächelte ihr Luft zu. Neben ihr saß ein Kind, Thutmosis III., der mit trotzig vorgeschobenem Kinn und einem leicht arroganten Gesichtsausdruck das Treiben beobachtete. Zu Füßen der Herrscherin ruhte Kija mit halb geschlossenen Augen auf einem Kissen. Auf ein Zeichen der Pharaonin begannen drei Männer auf Lauten und Harfen zu spielen, während bildschöne Mädchen dazu tanzten.

Kim lief mit einer Platte, auf der sich verschiedene Speisen türmten, von Gast zu Gast.

„Gänsebraten? Antilope? Gefüllte Gurken?“, fragte Kim den Vizekönig Inebny mit gespielter Unterwürfigkeit.

„Verschwinde!“, rief Inebny barsch.

„Blöder Hammel!“, rutschte es Kim heraus. Am liebsten hätte sie sich auf die Zunge gebissen.

„Was? Was hast du gesagt?“, fauchte Inebny.

„Niemals würde ich es wagen, das Wort an Euch zu richten, hoher Herr“, sagte Kim schnell und verbeugte sich tief.

„Das will ich dir auch geraten haben, du Kröte!“, rief Inebny voller Verachtung.

Wütend ging Kim weiter. Am liebsten hätte sie dem Nubier eine Gurke an den Schädel geworfen, aber sie musste sich leider beherrschen, um ihre Freunde und sich nicht in Gefahr zu bringen. Ihr Blick fiel auf die Pharaonin, der gerade etwas zu trinken gebracht wurde. Mit einer devoten Geste füllte ein Diener den Kelch der Herrscherin. Die reichte ihn an ihren Vorkoster weiter. Nachdem er getrunken hatte, wollte er den Kelch der Gebieterin zurückgeben, doch plötzlich hielt er inne. Die Hand, die das Gefäß hielt, begann stark zu zittern. Dann fasste sich der Vorkoster an den Hals. Sein Mund klappte auf und er brach röchelnd zusammen. Augenblicklich erhob sich großes Geschrei. Die Herrscherin war aufgesprungen und wollte sich über ihren Vorkoster beugen. Doch ihre Leibwächter zogen sie sanft zurück.

„Ein Mordanschlag!“, gellte eine Stimme. „Man hat versucht, die göttliche Hatschepsut zu vergiften!“

Jemand rief nach einem Arzt. Kim stellte ihr Tablett ab und bahnte sich einen Weg durch die aufgebrachte Menge. Als Kim an Vizekönig Inebny vorbeikam, bemerkte sie, dass dieser als Einziger völlig ruhig geblieben war. Unbeweglich saß er an seinem Tisch und tat so, als ginge ihn die ganze Aufregung nichts an. Fast schien es Kim, als ob er lächelte. Hatte Inebny etwas mit dem Anschlag zu tun?

Jetzt hatte Kim den Vorkoster erreicht. Er lag auf dem Rücken. Sein Gesicht war blass, die Augen waren halb geschlossen. Immer wieder wurde sein Körper von heftigen Krämpfen geschüttelt. Mit letzter Kraft machte der Vorkoster eine schwache Handbewegung in Kims Richtung. Das Mädchen kniete sich neben ihn. Wieder die gleiche Handbewegung. Kim verstand und hielt ihr Ohr an die Lippen des Mannes.

„Das Krokodil“, röchelte der Vorkoster. „Das Krokodil in der Totenstadt.“

Kim verstand nicht, was der Mann meinte. Sie sah sich um: Wie konnte sie dem Vorkoster nur helfen? Sie spürte, dass der Mann jeden Augenblick sterben würde, wenn nicht sofort Hilfe kam.

„Wo bleibt der Arzt?“, schrie Kim verzweifelt. Endlich tat sich eine Gasse zwischen den Gaffern auf und der Palastarzt wurde vorgelassen, doch er kam zu spät. Der Vorkoster bäumte sich ein letztes Mal auf … dann war er tot.

Nachts auf dem Nil

Der Abend hatte sich über den Palast gesenkt. Der Mond stand rund und weiß über dem imposanten Gebäude. Doch die Ruhe, die normalerweise um diese Zeit langsam zwischen den hohen Mauern einkehrte, wollte sich an diesem Tag nicht einstellen. Nach dem Mordanschlag auf die Pharaonin war alles in Alarmbereitschaft. Sämtliche Wachen waren verdoppelt worden.

Küchenvorsteher Rechmire war verhört worden: Wie hatte das Gift in den Wein kommen können? Doch das blieb ein Rätsel. Der Krug, aus dem der Kelch für Hatschepsut gefüllt worden war, war spurlos verschwunden – ebenso der Diener, der dem Vorkoster den Kelch gereicht hatte. Fieberhaft wurde in ganz Theben nach ihm gefahndet.

Von Ani erfuhren Julian, Kim und Leon, dass der Mordanschlag durchaus hätte glücken können, denn nicht immer bediente sich Hatschepsut eines Vorkosters. Immer wieder kam es vor, dass die Pharaonin gleich selbst zu Speisen und Getränken griff.

Jetzt hockten die drei Freunde in ihrer kleinen Kammer auf den harten Matten und grübelten.

„Und du bist dir sicher, dass Inebny gegrinst hat?“, fragte Julian noch einmal.

„Ich bin mir ganz sicher“, bestätigte Kim. „Vielleicht wollte er Hatschepsut töten, weil sie ihn abgewiesen hat.“

Leon schlug nach einer Mücke, die um ihn herumsurrte. „Das ist aber noch kein Beweis“, widersprach er. „Wenn wir mit dieser vagen Vermutung zu Hatschepsut gehen, wird man uns auslachen.“

„Ja“, stimmte Julian ihm zu. „Oder an die Krokodile verfüttern. Apropos Krokodile: Was könnte der Vorkoster mit ‚Krokodil in der Totenstadt‘ gemeint haben? Krokodile gibt’s doch nur im Nil!“

„Die Totenstadt liegt am anderen Nilufer, oder?“, fragte Leon.

Vorsichtig näherte er sich mit seiner Hand der Mücke, die nun direkt neben dem Öllämpchen an der Wand saß.

Julian nickte. „So ist es. Die *Nekropole* ist eine Stadt für die Toten mit vielen Gräbern und Tempeln. Dort leben Balsamierer, Sargbauer und Totenpriester. Aber es soll dort auch einen Hafen und einen Marktplatz geben, soviel ich weiß."

„Es klingt trotzdem ziemlich unheimlich", meinte Kim, während sie die Arme um die Knie schlang.

Leon schlug zu und erlegte die Mücke. „Wenn du eine erwischst, nehmen drei andere gleich Rache für ihren toten Kumpel. Ich bin schon total zerstochen", murmelte er. „Aber was sitzen wir hier eigentlich noch rum und lassen uns von den Mücken langsam auffressen? Warum schauen wir nicht einfach mal in der Nekropole vorbei? ‚Krokodil' könnte auch der Spitzname eines Menschen oder die Bezeichnung für ein Gebäude sein."

„Ist es nicht viel zu gefährlich, in die Nekropole zu gehen?", entfuhr es Julian.

„Nö", gab Leon trocken zurück. „Ich will jedenfalls nicht untätig hier herumsitzen." Wieder schlug er nach einer Mücke.

„Ich bin auch Leons Meinung", sagte Kim. „Dieses seltsame ‚Krokodil' ist die einzige halbwegs konkrete Spur, der wir nachgehen können."

Schließlich gelang es Leon und Kim, Julian doch noch zum Aufbruch zu überreden. In der Dunkelheit liefen sie Richtung Nil. Plötzlich hörten sie ein leises Miauen.

Die Freunde fuhren herum. Hatschepsuts Katze Kija sprang hinter einer Akazie hervor und kam auf sie zu.

„He, was machst du denn hier, du Streunerin?“, lachte Kim. „Du gehörst doch in den Palast.“ Sie beugte sich zu der Katze hinunter und kraulte sie hinter den Ohren. Das Tier schmiegte sich an sie.

„Und jetzt?“, fragte Kim. „Sollen wir sie in den Palast zurückbringen?“

„Lieber nicht“, antwortete Julian. „Sonst werden wir wieder verdächtigt, dass wir Kija etwas antun wollten.“

Leon hatte eine andere Idee: „Dann nehmen wir sie einfach mit. Wir werden gut auf sie aufpassen.“

„Und vielleicht passt sie ja auch ein bisschen auf uns auf“, fügte Julian hinzu. „So, wie sie es bei der göttlichen Hatschepsut tut.“

Die drei Freunde fragten Passanten nach dem Weg zur Nekropole. Kurz darauf erreichten sie den Nil. Glitzernd floss der gewaltige Strom dahin. Im Schilf quakten Frösche. In der Totenstadt am anderen Ufer blinkten vereinzelte Lichter.

„Um hinüberzukommen, brauchen wir ein Boot“, stellte Leon fest und blickte sich um. Wenige Schritte neben ihm ragte ein schmaler Steg in die Fluten. Daran war eines der typischen Fischerkanus vertäut.

„Seht ihr, was ich sehe?“, fragte Leon. „Das Kanu könnten wir uns doch kurz ausleihen. Kommt!“ Schon war er auf dem Steg, der bedenklich zu schwanken begann. Kim folgte ihm mit der Katze auf dem Arm. Julian kam als Letzter.

„Meint ihr, dass es hier im Fluss tatsächlich Krokodile gibt?“, fragte er, während er über die wackelige Planke balancierte.

„Klar“, gab Leon zurück. Aber er war keineswegs so gelassen, wie er sich gab. Während er im Heck des Kanus nach einem Ruder oder Ähnlichem suchte, spürte er, wie die Strömung an dem Boot riss. Wie groß würde erst die Kraft des Nils sein, wenn sie in der Mitte des Flusses waren? Leon zog unter einem einfachen Sitz zwei Holzstangen hervor, die sich vorn zu einer Art Paddel verbreiterten.

„Okay, legen wir ab!“, rief er. „Leinen los!“

Kim löste den Knoten des Seils, mit dem Kanu und Steg verbunden waren. Sofort trieb das Boot ab. Leon blieb im Heck und versuchte zu steuern. Vorn paddelte Julian, während Kim in der Mitte des Bootes saß und die Katze auf dem Schoß hatte. Ein Ohr hatte Kija angelegt, das andere aufgestellt. Das war ein deutliches Zeichen, dass Kija sich in ihrer Haut nicht wohl fühlte. Sie miaute kläglich.

Das Kanu wurde von der kräftigen Strömung wie ein Kreisel mehrfach um die eigene Achse gedreht.

„Du musst das Boot auf Kurs halten!“, schrie Julian.

„Ach ne!“, rief Leon zurück. Die Strömung war enorm. Die Freunde mussten erkennen, dass sie viel zu weit vom Hafen der Nekropole abgetrieben wurden. Aber das war zweitrangig. Jetzt mussten sie erst einmal heil das andere Ufer erreichen. Und das würde schwierig genug werden.

„Backbord!“, brüllte Julian jetzt.

Leon drückte seine Stange noch tiefer in das Wasser und riss sie herum, doch das Kanu reagierte kaum.

„Backbord, Leon, mehr backbord!“

„Hör auf mit deinem verdammten Backbord!“, brüllte Leon zurück. „Dem Nil ist völlig egal, ob wir nach backbord oder steuerbord wollen! Er steuert unser Boot – nicht ich, falls du das noch nicht begriffen hast!“

Plötzlich erhielt das Kanu einen heftigen Schlag. Leon rutschte vom Sitz und wäre fast auf Kim gefallen. Es gab ein knirschendes Geräusch und das Kanu legte sich bedenklich zur Seite. Wasser strömte ins Boot.

„Eine Sandbank! Wir sind auf einer Sandbank gestrandet!“, rief Leon entsetzt. Er schätzte, dass sie etwa in der Mitte des Flusses waren. Wenn sie jetzt kenterten, würden sich die Krokodile über einen Mitternachtsimbiss freuen. Entschlossen rammte Leon die Stange in den sandigen Untergrund und stemmte sich mit aller Kraft darauf. Stück für Stück gelang es ihm, das Kanu von der Sandbank zu schieben. Endlich hatten sie wieder Wasser unter dem Boot. Das Kanu wurde erneut von der Strömung des Nils erfasst. Plötzlich wurde das Boot mit seinen vier Passagieren ans andere Ufer gespuckt. Das Kanu rauschte in einen Wald aus Schilf. Die schlanken, hohen Stängel schabten an den Außenwänden des Bootes entlang. Jäh wurde die flotte Fahrt gebremst. Dann herrschte eine merkwürdige Stille. Nur das Plätschern des Nils war zu hören.

„Wir sind da! Alles aussteigen!“, sagte Leon und versuchte, locker zu klingen. Unwillkürlich hatte er seine Stimme gedämpft. Die Ruhe war unheimlich. Nicht mal Frösche waren zu hören. Seltsam. Vorsichtig schwang Leon die Beine über die niedrige Bordwand. Plötzlich hielt er inne. Aus den Augenwinkeln hatte er eine Bewegung im Wasser wahrgenommen.

„Halt!“, warnte er seine Freunde, die auch gerade das Kanu verlassen wollten. Gebannt starrte Leon auf das Schilf: Ein langer, dunkler Schatten lag dort im seichten Nilwasser. Und dieser Schatten bewegte sich langsam, aber zielstrebig auf sie zu!

„Ein Krokodil!“, schrie Leon. „Wir müssen vom Ufer weg! Schnell!“

Wie von Sinnen paddelte er rückwärts. Julian war vor Schreck wie gelähmt. Kim setzte die Katze auf den Boden des Bootes, riss Julian das Paddel aus der Hand und half Leon. Mit ein paar kräftigen Stößen entkamen sie dem tückischen Schilf und seinem hungrigen Bewohner.

Erschöpft ließen sie sich ein Stück in Ufernähe treiben, bis sie an einem schmalen Streifen Land anlegten, wo es kein Schilf gab. Leon vertäute das Kanu an einem Stein.

Schweigend lief das Trio in Richtung Totenstadt, in der Osiris, der Gott der Toten, herrschte. Da sie relativ weit abgetrieben worden waren, mussten Leon, Julian und Kim ein Stück zurücklaufen.

Endlich tauchten die ersten Lichter vor ihnen auf. Die Freunde erreichten den Hafen, in dem es jede Menge Schenken sowie Sargmacher-Werkstätten und Läden gab. Dort konnte man tagsüber alle Arten von Grabbeigaben wie Amulette oder *Ankh*-Kreuze kaufen. Neben einem breiten Steg für die Fähre lagen einige Holzboote zur Reparatur auf soliden Ständern.

Julian fragte einen alten Mann nach dem „Krokodil“. Aber der Alte lachte nur und deutete in Richtung Nil. Ziellos liefen die Freunde im Hafen herum, bis sich plötzlich Kija mit einem energischen Maunzen meldete. Die Katze strebte mit nach oben gestrecktem Schwanz in eine ganz bestimmte Richtung.

„Komm hierher, Kija!“, rief Kim.

„Lass sie ruhig“, meinte Leon. „Sieht so aus, als wolle sie uns etwas zeigen!“

„Etwas zeigen? Eine Katze?“, fragte Julian ungläubig.

„Vergiss nicht, dass Kija keine normale Katze ist“, betonte Leon und ging dem Tier hinterher.

Achselzuckend folgten Julian und Kim den beiden. Kija flitzte in eine Gasse. Die Freunde hatten Mühe, hinterherzukommen. Der enge und finstere Weg stieg leicht an. Die Hütten und Ställe, die sich hier zusammendrängten, waren ziemlich schäbig. Kija lief immer weiter. Die Gasse wurde auf einmal breiter und eröffnete den Blick auf ein größeres Gebäude: ein Gasthaus. Lärm und Licht drangen auf den Platz hinaus. Kija setzte sich hin und starrte unverwandt auf die Wirtschaft.

„Seht mal, das Schild“, wisperte Leon. „Der Laden heißt ‚Zum Krokodil‘!“

„Danke“, sagte Julian verdattert zu Kija. „War das jetzt ein Zufall?“

„Glaube ich nicht“, meinte Leon. „Bei diesem Tier gibt es keine Zufälle.“

Die Freunde liefen zu einem der Fenster und spähten vorsichtig hinein. Die Wirtschaft war trotz der vorgerückten Stunde noch gut besucht. Der Wirt und ein paar grell geschminkte junge Frauen huschten zwischen den Tischen hin und her.

Plötzlich stieß Kim einen leisen Pfiff aus. „In der Ecke da hinten hockt einer von Inebnys Dienern!“, flüsterte sie ihren Freunden zu.

An einem Tisch saßen drei Männer vor ihrem Bier, einer davon mit dem Rücken zu den Freunden. Den zweiten, einen kleinen, dünnen Mann, hatte Kim noch nie gesehen. Aber der dritte war während des Festessens an Inebnys Seite gewesen!

Jetzt schob der Diener dem Mann, der mit dem Rücken zu den Freunden saß, einen Beutel zu. Der Unbekannte wog ihn in der rechten Hand, die von einer langen Narbe verunstaltet war. Dann öffnete er den Beutel, um den Inhalt zu kontrollieren. Für den Bruchteil einer Sekunde blitzte etwas Glitzerndes auf.

Zufrieden nickte der Mann mit der Narbe und reichte Inebnys Diener ein kleines Gefäß. Der Diener zog die Augenbrauen hoch und steckte das Gefäß ein.

„Inebnys Diener!“, flüsterte Kim Julian und Leon zu. „Bestimmt hat er noch mal Gift gekauft! Ich habe doch geahnt, dass Inebny hinter dem Mordanschlag steckt! Er hasst Hatschepsut, weil sie ihn zurückgewiesen hat!“

Doch jetzt kaufte auch der andere Gast ein Gefäß von dem Mann mit der Narbe. Und auch er bezahlte mit Gold.

„Köpfe runter! Die gucken!“, warnte Leon in diesem Moment. Tatsächlich war der dünne Mann aufgestanden. Er schob seinen Stuhl zurück und kam auf das Fenster zu.

„Weg hier!“, kommandierte Leon und lief los. Die anderen folgten ihm. Die drei verbargen sich hinter einem Eselskarren, der vor der Schenke stand. Das Gesicht des Dünnen erschien am Fenster. Wachsam musterte er den Vorplatz. Dann gab er hektische Zeichen ins Innere des Lokals.

„Ich glaube, der Kerl hat uns entdeckt!“, flüsterte Julian. Keine Minute verstrich, bis Inebnys Diener und der Dünne aus der Schenke in ihre Richtung stürmten. Kim nahm Kija auf den Arm. Dann rannten sie, Julian

und Leon in das Gewirr von Gassen. Dort gelang es ihnen, die Verfolger abzuschütteln.

Völlig erschöpft erreichten die Freunde wenig später das Kanu. Mit einem mulmigen Gefühl überquerten sie den Nil zum zweiten Mal in dieser Nacht. Doch diesmal gab es keine Probleme. *Sobek*, der Krokodilgott, hatte wohl seinen Geschöpfen Nachtruhe verordnet. So gelangten die Freunde sicher zum Ostufer von Theben.

„Inebnys Diener müssen wir morgen mal unter die Lupe nehmen", sagte Julian, während sie heimwärts trotteten.

Seine Freunde nickten stumm. Sie waren zu müde, um zu antworten. Doch der nächste Tag sollte eine ganz andere Überraschung für sie bereithalten.

Eine Warnung wird überhört

Mit tränenden Augen schnitt Kim eine Zwiebel klein. In der Palastküche herrschte die übliche Hektik. Rechmire hüpfte wie ein riesiger Gummiball zwischen seinen Mitarbeitern hin und her und trieb sie zur Eile an.

„Auch wenn alles dafür spricht, dass Inebny aus gekränkter Eitelkeit hinter dem Mordanschlag auf die Pharaonin steckt, können wir ihn nicht anklagen", flüsterte Kim ihren beiden Freunden zu, die neben ihr standen. Gerade hatten Leon und Julian schwere Körbe mit Zwiebeln, Sellerie, Beeren und Broten hereingeschleppt.

„Das sehe ich auch so", stimmte Julian ihr zu. „Wir wissen schließlich nicht, ob tatsächlich Gift in dem Gefäß war, das Inebnys Diener gekauft hat. Wir wissen ja nicht einmal, ob es der Diener in Inebnys Auftrag gekaut hat."

Leon wiegte bedächtig den Lockenkopf und zupfte an seinem Ohrläppchen. „Aber warum hat der Vorkoster auf das Lokal hingewiesen, wenn dort alles mit rechten Dingen zugeht?"

„Vielleicht hat er irgendwo etwas aufgeschnappt", meinte Kim. „Ihr wisst schon: Palastklatsch …"

„Kommt, Kinder kommt, kommt!", ertönte Rechmires Stimme. „Ihr müsst schneller werden, Kinder! Mein Gazellenbraten mit zarten Gemüsesorten muss der Pharaonin auf der Zunge zergehen!" Schon war er wieder verschwunden. Aus einer anderen Ecke der Küche hörten ihn die Freunde rufen: „Ah, Mentmose, der neue Vorkoster!"

Die Freunde wandten sich um … und erschraken. Da stand der dünne Mann, den sie gestern in der Schenke gesehen hatten! Die drei warfen sich bedeutungsvolle Blicke zu. Dann wandten sie sich mit klopfenden Herzen wieder ihrer Arbeit zu. Leon und Julian schnappten sich ihre Körbe und verließen die Küche, um Ani weiter beim Heranschaffen der Zutaten zu helfen. Kim schnitt immer noch Zwiebeln. Ihre Gedanken überschlugen sich. Der neue Vorkoster war der Mann, der gestern vermutlich Gift gekauft hatte! Plötzlich spürte sie eine Hand auf ihrer Schulter.

„Sieh mich an!", befahl eine Stimme.

Kim gehorchte und blickte in Mentmoses schmales Gesicht. Er musterte sie eindringlich und kühl.

„Ich glaube, wir sind uns schon einmal begegnet“, sagte er gefährlich ruhig.

Kims Lippen bebten, als sie antwortete: „Nein, das kann nicht sein. Ich, ich bin noch nicht lange hier in Theben.“ Und das war nicht einmal gelogen.

Langsam nickte Mentmose. „Vielleicht habe ich mich geirrt … aber ich irre mich selten. Ich werde dich im Auge behalten.“ Damit ließ er Kim stehen. Dem Mädchen lief ein Schauer über den Rücken.

Kurz darauf konnte sich Kim aus der Küche davonstehlen. Im Hof traf sie auf ihre Freunde.

„Wir müssen Hatschepsut warnen!“, flüsterte Kim den Jungen zu.

„Natürlich“, erwiderte Julian. „Ich mache das schon. Nachher, wenn wir die Pharaonin und ihre Gäste bedienen.“

Die Pharaonin Hatschepsut hatte zu ihrem heutigen Bankett nur eine handverlesene Schar Auserwählter gebeten. Rund zwanzig Adlige weilten im silbernen Saal. Der war zum königlichen Garten hin offen und gab den Blick auf einen Zierteich mit Seerosen frei. Im Saal waren Tische und Kissen über und über mit Lotusblüten geschmückt. Es wurden Erfrischungsgetränke gereicht, doch die Herrscherin fehlte noch.

Als die Kinder begannen, Speisen aufzutragen und weitere Getränke anzubieten, klatschte der oberste Herold zweimal in die Hände, holte tief Luft und verkündete die Ankunft der Herrscherin.

„Horus, geliebt von *Maat*, der erscheint als königliche Schlange, groß an Macht, jung an Jahren, Geliebte des Amun, Tochter des Amun: Hatschepsut!"

Sofort warfen sich alle auf den Boden und berührten mit der Stirn die kühlen Fliesen.

Als Hatschepsut den Silbersaal betrat, war es, als ginge eine Sonne auf. Die goldene Uräusschlange auf ihrem Kopf blitzte mit den Diamanten, die in ihr Haar geflochten waren, um die Wette. An Armen und Händen, sogar an den Riemen ihrer Sandalen glitzerten edle Steine. Mit einer huldvollen Bewegung erlaubte die Herrscherin ihren Gästen und der Dienerschar, sich wieder zu erheben. Dann nahm sie Platz. Wie üblich war Kija an ihrer Seite. Neu war allerdings der junge Windhund, der sich mit eingezogenem Schwanz neben die Pharaonin hockte.

Nun gab Hatschepsut den Musikanten ein Zeichen. Verträumte Melodien plätscherten durch den Silbersaal und die Gäste begannen zu speisen. Das war der Moment, in dem sich Mentmose – sich ständig verbeugend – der Pharaonin näherte.

„Los, Julian, jetzt musst du sie warnen!“, zischte Leon und gab ihm einen Schubs.

Unfreiwillig machte Julian einen Schritt auf die Pharaonin zu. Er spürte kalten Schweiß auf der Stirn. Vorhin war er sich noch ganz sicher gewesen, dass er diese Aufgabe bewältigen könnte, aber jetzt ... Nur für einen Moment streiften Hatschepsuts große, dunkle Augen den unbedeutenden Küchengehilfen. Die Herrscherin vom Nil nahm Julian gar nicht richtig wahr. Also machte Julian noch einen Schritt auf die stolze Frau zu und dann noch einen.

„Großer Horus“, begann er leise, während er sich tief verneigte. „Bitte ...“

„Was bildest du Sklave dir ein, die göttliche Königin anzusprechen? Verschwinde! Geh auf deinen Platz in der Küche!“, herrschte Mentmose ihn an. Er funkelte Julian zornig an und kam drohend auf ihn zu. Doch so schnell gab sich Julian nicht geschlagen.

„Hört mich an!“, bat Julian die Pharaonin noch einmal.

„Soll ich die Wachen rufen, damit sie den Kerl auspeitschen?“, fragte Mentmose in die Runde. Aber er erntete nur Desinteresse – vor allem von Hatschepsut, die sich angeregt mit ihrem *Wesir* unterhielt.

Enttäuscht trat Julian den Rückzug an, was der Vorkoster mit einem Lächeln quittierte. Dann griff er zu einem Kelch mit Wein, nach dem die Herrscherin verlangt hatte, und nahm einen Schluck. Gebannt verfolgten Julian, Kim und Leon die Szene. Aber auch Kija ließ den Kelch nicht aus den Augen. Ihre Rückenhaare sträubten sich, als wären es Stahlborsten. Doch nichts geschah. Es schien kein Gift im Wein zu sein. Schon atmeten die drei Freunde auf. Hatschepsut nahm den Kelch und setzte ihn an ihre vollen, dunkelrot geschminkten Lippen. In diesem Moment sprang Kija die Herrscherin an. Erschrocken ließ Hatschepsut den Kelch fallen, und der Wein ergoss sich über den Boden. Die Herrscherin richtete ein paar tadelnde Worte an die Katze. Kijas Ohrmuscheln waren nach vorn gedreht, ihre Augen weit geöffnet. Dann wandte sie sich abrupt ab und huschte davon. Dabei wich sie elegant dem kleinen See aus Wein aus.

Ganz anders der Windhund. Offenbar angelockt vom süßlichen Geruch schnüffelte er an der Pfütze und begann sie gierig aufzulecken, noch bevor einer der Diener sie wegwischen konnte. Plötzlich begann der Hund zu würgen. Sein Körper erbebte, die Vorderbeine knickten ein. Schaum trat aus dem Maul des Tieres, dann kippte es zur Seite.

„Der Wein war doch vergiftet!“, schrie Kim. Ein Tumult brach aus. Den nutzte Kim dazu, ungehindert zum Windhund zu laufen. Das Tier zuckte noch ein paarmal, dann war es tot.

„Der arme Hund“, sagte Kim leise mit Tränen in den Augen.

„Hauptsache, Hatschepsut lebt! Kija hat ihr das Leben gerettet“, flüsterte Julian, der sich mit Leon ebenfalls herangewagt hatte. „Diese Katze ist wirklich ihr bester Leibwächter.“

Die Freunde sahen zur Pharaonin, die bleich und vor Zorn bebend dastand. Dann durchschnitt ihre klare Stimme den Silbersaal und sofort erstarb jedes Gespräch.

„Wo ist der Vorkoster?“

Doch Mentmose war im allgemeinen Durcheinander untergetaucht. Sofort ließ Hatschepsut nach ihm fahnden.

Es verging keine Viertelstunde, bis der Vorkoster geschnappt worden war und vor die Pharaonin gebracht wurde.

Drohend sagte Hatschepsut zu ihm: „Wer es wagt, die Geliebte des Amun anzugreifen, hat sein Leben verwirkt. Denn ich bin Maat, die Gerechtigkeit und der Richter, der über allem steht. Und ich bin Gott. Vorkoster, knie nieder! War das dein eigener feiger Plan? Oder steckt jemand anderes dahinter?“

Eine Wache stieß Mentmose in den Rücken und der Vorkoster fiel der Herrscherin vor die Füße. Doch trotzig erhob er seinen Kopf.

„Du bist nicht Gott! Und du bist auch nicht Maat!“, zischte er voller Hass. „Zu Unrecht schmückst du dich mit der Kobrakrone. Eine Frau darf niemals auf dem Pharaonen-Thron sitzen!“

„Genug, Elender!“, unterbrach Hatschepsut ihn. „Jetzt sage mir, wie du diesen Trank überleben konntest!“

Mentmose lächelte dünn. „Ein Gegengift, das ich vorher genommen habe, hat mich geschützt.“

„Aber es wird dich nicht vor dem Tod schützen“, sagte Hatschepsut kalt. „Wer sind deine Hintermänner? Rede!“

Der Vorkoster ballte die Fäuste. „Das wirst du nie erfahren. Aber du wirst ihnen nicht entkommen. Sie werden dich töten!“

Der Mann mit dem Bogen

Am folgenden Mittag brannte die Sonne mit sengender Kraft. Die Hitze war lähmend. Kein Windhauch brachte Abkühlung. Auch im Palast war die sonst übliche Geschäftigkeit zum Erliegen gekommen.

Julian, Kim und Ani saßen draußen vor der Küche im Schatten. Rechmire hatte ihnen eine Pause gegönnt und Ani verteilte köstliche Äpfel. Dazu tranken sie Irtet. Leon spielte etwas abseits mit Kija. Inzwischen wich die Katze den Freunden kaum noch von der Seite. Jetzt saß sie vor Leon, der sie mit einem Ball locken wollte, und schaute ihn mit ihren klugen, grünen Augen an. Leon warf den Ball, doch Kija legte nur den Kopf schief und leckte ihre rechte Pfote ab.

„Na gut", brummelte Leon und holte den Ball selbst. „Bist ja schließlich kein Hund."

„Habt ihr schon gehört?“, fragte Ani mit vollem Mund. „Inebny hat heute Morgen den Palast verlassen. Hatschepsut hat ihn unbehelligt ziehen lassen.“

Julian nickte. Damit hatte er gerechnet. Zwar hatte er es gestern noch einmal gewagt, die Pharaonin anzusprechen und war sogar zu Wort gekommen … aber welche Beweise hatten Julian und seine Freunde gegen Inebny?

„Wer hat Mentmose eigentlich eingestellt? War das Rechmire?“, wollte Julian noch wissen.

„Ich habe gehört, dass Mentmose der Königin von einem Vertrauten empfohlen worden ist“, erzählte Ani und spuckte einen Kern in einem kunstvollen Bogen über den Hof. „Angeblich hatte Mentmose einen tadellosen Ruf.“

„Zum Glück wurde der Anschlag vereitelt“, meinte Kim. „Der falsche Vorkoster wurde geschnappt und Inebny ist fort. Die Gefahr ist gebannt.“

„Und was ist mit diesem dritten Mann aus der Kneipe?“, gab Julian zu bedenken.

Kim winkte ab. „Was kann der schon allein ausrichten?“

„Dennoch: Wir sollten uns noch einmal in der Nähe der Kneipe umsehen. Vielleicht finden wir dort eine Spur dieses Mannes“, beharrte Julian. Die Freunde beschlossen, der Stadt der Toten bei nächster Gelegenheit noch einmal einen Besuch abzustatten.

In den folgenden beiden Tagen kamen die drei jedoch nicht dazu. Rechmire hielt sie auf Trab, sodass die Freunde spätabends erschöpft auf ihre Matten fielen. An einen nächtlichen Ausflug in die Nekropole war nicht zu denken.

In diesen zwei Tagen hatte sich das Leben im Palast langsam wieder normalisiert. Das Klima des Misstrauens und der Angst wich langsam. Julian, Kim und Leon blieben jedoch wachsam.

Am Abend des dritten Tages rief Ani sie zu sich an ein Küchenfenster, von dem man in die Palastgärten schauen konnte. Dort arbeitete eine Heerschar von Gärtnern. Sie zupften Unkraut aus den Beeten mit den farbenprächtigen Blumen, schnitten die Hecken und wässerten die exotischen Bäume.

„Seht nur! Unsere Pharaonin!", rief Ani aufgeregt.

Und tatsächlich, die grazile Gestalt der Königin tauchte keine zwanzig Meter neben dem rechteckigen Teich auf, wo prächtiger Lotus wuchs. Sie kehrte gerade vom täglichen Gebet im Tempel von *Karnak* zurück. Dort hatte sie dem höchsten Gott Amun Opfer dargebracht. Einige Höflinge liefen in gebührendem Abstand hinter ihrer Herrin. Hatschepsut ging auf eines der Gehege zu, die überall im Park verteilt standen und Löwen, Geparde, Hirschantilopen oder Hyänen beherbergten. Etwas huschte über die Rasenfläche und sprang in die Arme der Herrscherin.

„Kija!“, erkannte Kim. Voller Bewunderung beobachtete sie die stolze Königin, die jetzt die Katze streichelte.

„Ich glaube, so toll ist ihr Leben auch nicht“, wisperte Julian, als hätte er Kims Gedanken gelesen. „Gut, Hatschepsut ist unendlich reich und mächtig, aber …“

„Sie ist wunderschön“, fiel Leon ihm ins Wort. Auf seinem Gesicht lag ein versonnenes Lächeln.

„Ja“, fuhr Julian fort. „Aber ich möchte trotzdem nicht mit ihr tauschen. Sie muss dauernd irgendwelche religiösen Rituale ausführen, das Land regieren … und offenbar ist sie ständig in Gefahr.“

Hatschepsut setzte die Katze ab und erreichte einen Löwenkäfig. Das mächtige Tier lief unruhig an den Gitterstäben auf und ab.

„Die Pharaonin liebt Tiere aller Art“, erklärte Ani, während er mit seiner Jugendlocke spielte. „Sie geht oft in den Park.“

„Ani, komm mal her!“, erklang Rechmires Stimme hinter ihnen. „Du musst mir noch etwas auf dem Markt besorgen!“

Seufzend gehorchte Ani, während seine Freunde weiter die Pharaonin beobachteten. Der Löwe war stehen geblieben und schien Hatschepsut zu fixieren. Seine Muskeln spannten sich. Er war bereit zum Sprung. In diesem Moment hörten die Freunde ein schrilles Surren in der Luft. Sie sahen hoch.

„Ein Pfeil!", schrie Leon. Das Geschoss flog genau auf die Pharaonin zu!

Dann ging alles blitzschnell: Hatschepsut stolperte über Kija, die ihr zwischen die Füße gelaufen war und fiel nach vorn. Nur um Haaresbreite verfehlte der Pfeil sein Ziel. Er bohrte sich zitternd in den Stamm einer Akazie. Sofort umringten Leibwächter die gestürzte Pharaonin und schützten sie mit ihren Körpern.

„Der Pfeil kam von dort!", rief Leon und deutete zum Dach der Küche. Er lief in den Hof und sah hinauf. Eine Gestalt floh über das Flachdach.

Während Julian und Kim mit weit aufgerissenen Augen stehen blieben, folgte Leon kurzerhand dem Täter. Über eine Treppe erreichte er das Flachdach der Küche. Dort wäre er fast mit einem Soldaten zusammengestoßen, der ebenfalls die Verfolgung des Attentäters aufgenommen hatte. Der Bogenschütze rannte Richtung Palastmauer, die an die Küche grenzte.

Plötzlich blieb der Soldat stehen und holte mit seinem Speer aus. In einem hohen Bogen flog er auf den Schützen zu. Ein Schrei. Der Speer hatte das rechte Bein des Fliehenden gestreift. Er taumelte, fiel aber nicht. Humpelnd lief er weiter auf die Mauer zu. Doch dann drehte er sich um. Leon stockte der Atem: Der Mann hatte den Bogen gespannt. Wieder war das todbringende Surren zu hören. Leon warf sich im letzten Moment zu Boden. Der Pfeil schoss knapp über ihn hinweg. Mit einem Fluch schleuderte der Bogenschütze seine Waffe fort und lief weiter zur Mauer. Sein Vorsprung schmolz. Gleich würde ihn der Soldat erreichen. Er hatte seinen Dolch gezückt. Leon hielt sich direkt hinter dem Soldaten. Gerade als der Bogenschütze die Mauer erreichte, packte der Soldat ihn von hinten. Der Attentäter rammte dem Soldaten den Ellbogen in den Magen. Der Soldat krümmte sich vor Schmerz. Ein Schlag traf seine rechte Hand, der Dolch fiel zu Boden. Der Bogenschütze trat dem Soldaten in die Beine, sodass er einknickte und zu Boden fiel. Blitzschnell bückte sich der Attentäter und hob die Waffe auf. Breitbeinig stand er über seinem Opfer und holte aus, um den Soldaten zu erstechen. In diesem Moment erhielt er einen Schlag in den Rücken. Leon hatte sich mit seiner ganzen Kraft von hinten gegen den Attentäter geworfen. Der Mann stürzte vornüber

und verlor dabei seine Waffe. Er packte Leon, der halb auf ihm lag, und legte seine Hände um dessen Hals. Das Gesicht des Mannes verriet Wut und eiskalte Entschlossenheit. Leon wollte schreien, aber der Mann hatte ihn fest im Würgegriff. Er schlug und trat um sich. Er bekam etwas zu fassen und zog daran. Leon spürte ein Stück Metall in seiner Hand, dann sah er nur noch Sterne vor seinen Augen. Die Zeit, bis der Druck auf seinen Hals nachließ, schien Leon unendlich. Die Schleier vor seinen Augen wichen. Das Gesicht des Attentäters verschwand. Röchelnd kam Leon auf alle viere. Der Attentäter lag neben ihm, die Augen starr in den blauen Himmel gerichtet.

„Bei Amun! Das war ein Mann der Palastwache", stammelte der Soldat fassungslos. Der Dolch, mit dem er den Attentäter getötet hatte, glitt aus seinen Fingern. Rufe wurden laut. Ein Trupp Soldaten lief auf sie zu. Unterdessen kümmerte sich der Soldat um Leon.

„Alles in Ordnung mit dir?", fragte der Soldat besorgt.

Leon nickte. „Ja", krächzte er.

Erst jetzt bemerkte er, dass er noch immer das Stück Metall in der Hand hielt. Es handelte sich um ein goldenes, mit Edelsteinen verziertes Amulett, das einen Menschen mit einem schwarzen Hundekopf darstellte.

Leon fragte die Wachen nach der Bedeutung des Amuletts, doch niemand hatte Zeit, ihm diese Frage zu beantworten. Zwar bedankte man sich bei ihm für seinen Einsatz, schickte ihn dann aber fort. Für das Amulett interessierte sich niemand.

Unschlüssig kehrte Leon in die Palastküche zurück. Dort erwarteten ihn Julian und Kim bereits. Nachdem Leon ausführlich von seiner Jagd auf den unheimlichen Bogenschützen berichtet hatte, zeigte er seinen Fund.

„Keine Frage, das ist der Gott *Anubis*", erkannte Julian sofort. „Er ist der Gott des Totenkults."

„Hhm, dann ist das noch ein Hinweis auf die Stadt der Toten?", schloss Kim daraus.

Leon zuckte mit den Schultern. „Ja, aber das bringt uns auch nicht viel weiter."

Julian untersuchte das Amulett noch einmal und wog es in der Hand. „Eine aufwändige Arbeit und bestimmt sehr wertvoll. So etwas kann sich bestimmt nicht jeder leisten. Schon gar nicht ein einfacher Wachsoldat. Wir sollten das Amulett Ani zeigen. Vielleicht kann er damit etwas anfangen."

In der Totenstadt

Als Ani vom Markt zurückkam, trug er in jeder Hand einen Korb mit den verschiedensten Gewürzen.

„Da bist du ja endlich“, rief Rechmire aufgeregt. „Gib schon her! Hoffentlich hast du die Beeren des Johannisbrotbaumes nicht vergessen.“

Argwöhnisch begutachtete er Anis Einkauf. Dann atmete der Koch erleichtert auf und lief mit den beiden Körben zu einer der Feuerstellen, ein Lied auf den Lippen.

Jetzt konnten Julian, Kim und Leon ihrem Freund Ani von den Ereignissen berichten und das Amulett zeigen.

„Hast du so etwas schon mal gesehen?“, wollte Julian von Ani wissen.

Ani stieß einen anerkennenden Pfiff aus.

„He, das ist ziemlich wertvoll! So etwas wird nur in der Nekropole hergestellt. Manche Priester tragen solche Amulette.“

„Ani!“, brüllte Rechmire aus dem Hintergrund. „Du musst noch mal zum Markt. Ich brauche frischen Honig. Lauf, mein Junge, und keine Widerrede!“

Seufzend flitzte Ani erneut los.

„Wie kommt ein Wachsoldat an ein derart wertvolles Schmuckstück?“, rätselte Leon, sobald sie allein waren.

„Für mich gibt es da nur eine Erklärung“, meinte Julian. „Wahrscheinlich wurde er damit bezahlt!“

„Ja, das sollte sein Lohn für den Mord an der Königin sein“, stimmte Kim ihm zu. „Dann hat der Attentäter also noch Hintermänner!“

Julian nickte. „Das glaube ich auch. Vielleicht der dritte Mann aus der Schenke? Wegen ihm wollten wir doch sowieso noch einmal in die Nekropole. Womöglich finden wir den Goldschmied, der dieses ungewöhnliche Stück hergestellt hat. Und vielleicht kann der sich auch daran erinnern, wem er es damals verkauft hat!“

„Wir können nicht schon wieder alle drei auf einmal verduften. Das fällt auf!“, meinte Leon. „Aber vielleicht könnte sich einer von uns krankmelden oder so.“

„Den Job übernehme ich“, meldete sich Kim freiwillig. „Ich mag Schmuckgeschäfte.“

„Du willst wirklich allein in die Totenstadt?", fragte Julian.

„Klar, warum nicht? Macht euch keine Sorgen."

Unter dem Tisch huschte Kija auf sie zu.

„Hallo!", begrüßten die Kinder die schöne Katze begeistert. Schnurrend ließ sich Kija von allen streicheln. Aber schon kam Rechmire wieder auf sie zu. Er schnaufte heftig und sein Bauch sah aus wie ein riesiger Blasebalg.

„Schnell, schnell, Kinder, helft beim Kleinschneiden. Unsere Herrscherin hat den Speiseplan geändert und für heute Geschnetzeltes in Weißwein verlangt!", rief er hektisch.

Nachdem das Mittagessen serviert war, kehrte eine bleierne Stille in der Palastküche ein. Sogar Rechmire gönnte sich eine kleine Auszeit. Er döste auf einem Stuhl vor sich hin, die Hände über dem Bauch gefaltet. Rechmire war glücklich, denn das Geschnetzelte hatte der Herrin vom Nil gemundet.

Auf Zehenspitzen schlich Kim an Rechmire vorbei zur Tür hinaus. Auf samtenen Pfoten folgte ihr lautlos die schöne Katze mit den grünen Augen.

Eine Fähre brachte Kim und Kija sicher auf die andere Nilseite. Bei Tage sah die Nekropole weitaus freundlicher aus als bei Nacht. Gleich neben der Anlegestelle begann der Markt. Einfache Verkaufsstände reihten sich aneinander. Dächer aus Stoffbahnen schützten die Waren – überwiegend Gemüse und Fisch – vor der unbarmherzigen Kraft der Sonne. Ein Schreiber hockte mit einem Schreibbrett, seinen Pinseln und einer Palette im Schatten eines Baumes und bot seine Dienste an.

Ziellos wanderten Kim und Kija umher. Schließlich fragte sie einen Händler, wo sie einen Goldschmied fände. Der Händler deutete vage in die Richtung eines Totentempels. Dort begann ein Gewirr von Gassen, die von einfachen Lehmhäusern gesäumt wurden. Nach ein paar Schritten rümpfte Kim die Nase. Wahrscheinlich war sie in der Straße der Leichenwäscher und Balsamierer gelandet.

Na großartig, dachte Kim. Da wäre sie lieber bei den Fischen in der Küche geblieben.

Sie ging zum nächstbesten Haus und klopfte. Vielleicht konnte man ihr hier den richtigen Weg zeigen.

Eine Stimme rief von innen, dass sie hereinkommen möge. Also trat Kim in das Haus, in dem dämmriges

Licht herrschte. Kija blieb vor der Tür sitzen und leckte ihr Fell.

Im Haus schwirrten unzählige Fliegen umher. Der scharfe Geruch nahm Kim fast den Atem. Sie stieß gegen etwas Hartes und erkannte, dass es sich um ein wannenförmiges Becken handelte, in dem etwas schwamm. Das Mädchen schrak zurück: Eine Leiche lag in einer stechend riechenden Lösung.

Das war wahrscheinlich das Natronbad, in das die Toten getaucht wurden, um sie vor dem Balsamieren auszutrocknen. Davon hatten Kim und ihre Freunde schon gelesen.

„Was möchtest du, mein Kind?“, fragte eine sanfte Stimme.

Kim sah hoch. Sie würgte. Die Stimme gehörte zu einem kleinen Mann mit dunklen, traurigen Augen, der gerade aus einem angrenzenden Raum kam.

„Ist in deiner Familie jemand gestorben?“, fragte er hoffnungsvoll. „Ich bin Paheri und erledige Balsamierungsarbeiten stets zur vollsten Zufriedenheit.“ Er deutete auf die Wanne mit der Leiche. Darüber standen auf einem Brett vier *Kanopen* mit den Eingeweiden des Toten.

„Nein, nein“, sagte Kim schnell. Sie atmete flach durch den Mund. „Ich suche einen Goldschmied.“

„An unsere Straße schließt sich die Straße der Goldschmiede an“, sagte der kleine Mann. „Und falls jemand in deiner Familie sterben sollte, denke immer an Paheri, den Meisterbalsamierer.“

„Mach ich“, versprach Kim und rannte hinaus. Kurz darauf hatte sie die Straße der Goldschmiede erreicht. Kleine Werkstätten drängten sich aneinander.

Oje, dachte Kim verzweifelt. Wie soll ich hier die richtige Werkstatt finden?

Da fiel der Blick des Mädchens auf Kija. Die Katze huschte plötzlich los, als verfolge sie ein konkretes Ziel. Kim lief dem Tier hinterher. Es flitzte zu einem unscheinbaren Gebäude und setzte sich davor. Einen Moment verharrte Kim unschlüssig vor der Tür. Dann gab sie sich einen Ruck und betrat mit Kija die Werkstatt.

Der Goldschmied war gerade dabei, einen *Skarabäus* aus Silber herzustellen. Der hagere Mann sah von seiner Arbeit auf und musterte die junge Besucherin argwöhnisch.

„Ein Kind und eine Katze“, meinte er verdrießlich. „Meine Erfahrung lehrt mich, dass ich mit euch kein gutes Geschäft mache.“

„Vielleicht doch“, sagte Kim schnell. „Denn ich habe auf der Fähre ein Schmuckstück gefunden, das ich gerne seinem Besitzer zurückgeben will. Und wenn Ihr wisst, wem es gehört, will ich den Finderlohn mit Euch teilen."

Schon hatte Kim das Amulett hervorgezogen und zeigte es dem Goldschmied. Dieser schien zu überlegen, ob er die Geschichte glauben sollte. Kim spürte, wie ihr unter seinem bohrenden Blick heiß wurde. Doch dann sah sich der Goldschmied endlich das Amulett an.

„Natürlich, das kenne ich", sagte der Handwerker etwas freundlicher. „Dieses Stück habe ich selbst gefertigt."

Kims Puls beschleunigte sich. „Das hatte ich gehofft", antwortete sie. „Wisst Ihr noch den Namen desjenigen, für den Ihr diese herrliche Arbeit gefertigt habt?"

„Ich verlange die Hälfte des Finderlohns", sagte der Goldschmied kühl.

„Abgemacht."

Der Goldschmied stand auf und wanderte in der Werkstatt auf und ab. „Tja, leider ist es schon mindestens ein Jahr her, dass ich das Amulett geschaffen habe", murmelte er. „Ich weiß noch, dass es für einen Priester bestimmt war. Aber der Name …"

„Bitte, erinnert Euch!"

Der Goldschmied ließ eine Minute verstreichen. Kim hatte schon Angst, vor Neugier zu platzen. Doch er schüttelte den Kopf.

„Nein, tut mir Leid. Den Namen habe ich vergessen. Ich werde langsam alt. Aber an eines kann ich mich gut erinnern: Der Mann hatte eine lange Narbe auf dem rechten Handrücken."

Kim war wie elektrisiert. Eine Narbe auf der rechten Hand, genau wie der Mann in der Schenke! Schnell verabschiedete sie sich, nachdem sie versprochen hatte, die Hälfte des Finderlohns vorbeizubringen, falls sie den Besitzer des Amuletts finden sollte.

Keine Stunde später waren Kim und Kija wieder bei Julian und Leon in der Palastküche.

„Ja, der Ausflug in die Nekropole hat sich wirklich gelohnt", rief Kim aufgeregt, sobald sie ihren Bericht beendet hatte. „Und das haben wir wieder mal Kija zu verdanken!" Kim nahm die Katze auf den Arm und streichelte sie.

„Zu dumm, dass sich der Goldschmied nicht mehr an den Namen des Käufers erinnern konnte", sagte Julian. „Aber jetzt wissen wir wenigstens, nach wem wir suchen müssen: nach einem Priester mit einer Narbe an der rechten Hand!"

„Du sagst es“, stimmte Leon ihm zu. „Ani erzählte doch, dass es einige Priester gäbe, die eine Frau auf dem Pharaonen-Thron untragbar fänden.“

Die verbotene Welt

In den nächsten Tagen hielten die Freunde die Augen auf. Das Auftragen der Speisen in den Prunksälen bot immer wieder Gelegenheit, die Anwesenden genau zu mustern: Wer hatte eine Narbe an der rechten Hand? Zahlreiche Priester gingen im Palast ein und aus. Darunter waren mächtige Männer wie Hapuseneb, der Hohepriester des Amun, oder Senenmut, Wesir und Verwalter des Amuntempels.

Aber keiner von diesen Männern hatte eine Narbe auf der Hand.

Ani versorgte die Freunde immer wieder mit Neuigkeiten. So erfuhren sie, dass der Leiter der Palastwache unmittelbar nach dem letzten Anschlag auf Hatschepsut des Amtes enthoben worden war. Aber neben diesen Fakten gab es auch immer wieder zahlreiche Gerüchte im Palast.

„Habt ihr schon gehört?“, wisperte Ani mit Verschwörermiene, als er mal wieder vom Einkaufen auf dem Markt zurückkam. „Der Nubier Inebny soll sich noch in der Nähe von Theben aufhalten!“

Kim zog die Augenbrauen hoch: „Du meinst, dass er hinter dem neuerlichen Anschlag auf die Pharaonin stecken könnte?“

„Ja“, meinte Ani. „Vielleicht sinnt er noch immer auf Rache. Aber wenn Inebny wirklich noch hier in der Nähe ist, wird man ihn sicher schnell vertreiben.“

Doch es gab keine Festnahmen. Inebny blieb genauso unsichtbar wie der Mann mit der Narbe.

Nach zwei Tagen, die Kinder waren gerade mit ihrer Arbeit fertig, schlug Kim vor: „Wenn der Priester nicht zu uns kommt, dann müssen wir eben zu ihm gehen.“

„Wie bitte?“

„Ist doch ganz einfach: Wir müssen uns im Tempelbezirk von *Karnak* umsehen!“

Julian und Leon überlegten kurz, dann nickten sie.

Nachdem sie sich den Weg hatten erklären lassen, liefen sie in der hereinbrechenden Dämmerung zum Hauptheiligtum. Über eine Allee mit widderköpfigen *Sphingen* gelangten sie zunächst zu den Mauern, die den Bezirk der Göttin Mut umschlossen. Dahinter lagen der heilige See und der Tempel mit dem golde-

nen Schrein der Gottheit. Aber das Tor blieb für drei unbedeutende Küchenhelfer fest verschlossen. Die Tempelwachen ließen sie nicht ein. Nicht besser erging es ihnen im angrenzenden, viel größeren Bezirk des Amun. Staunend standen Julian, Kim und Leon vor dem gewaltigen Pylon, den beiden massiven Türmen, die das Steintor zum Tempel flankierten. Die Türme waren über und über mit Reliefs verziert, die religiöse oder kriegerische Motive zeigten. Masten, an denen Fahnen im Wind flatterten, überragten die Türme noch. Auch hier ließ man die Freunde nicht hinein. Nur Priester und die Pharaonin durften den Tempel betreten. Enttäuscht liefen sie zum dritten Tempelbereich, der dem Kriegsgott *Month* gewidmet war. Aber die Wachen lachten die Kinder nur aus.

„Was für eine Pleite“, jammerte Kim, als sie sich wieder auf den Rückweg machten.

„Macht nichts“, tröstete Leon sie. „Einen Versuch war es auf jeden Fall wert.“

Schweigend gingen sie weiter.

Julian fühlte sich auf einmal unendlich müde und mutlos. Er sprach das aus, was wohl auch die anderen beiden dachten: „Sollen wir zurückkehren? Zurück in unsere Welt?“

Weder Kim noch Leon antworteten sofort.

„Nein“, sagte Kim schließlich. „Ich will noch nicht aufgeben.“

„Ich auch nicht“, sagte Leon nachdenklich. „Lasst uns noch ein paar Tage warten. Bisher sind wir doch immer einen Schritt weitergekommen. Wir haben das Lokal gefunden und sind dem Priester mit der Narbe auf die Spur gekommen! Das ist doch was. Wir sollten uns nicht so schnell entmutigen lassen.“

„Gut“, sagte Julian. „Aber wie sollen wir vorgehen?“

Wieder schwiegen sie. Der Weg machte eine sanfte Kurve und die Freunde gelangten zum Nil. Frauen kamen ihnen entgegen. Sie balancierten schwere Wasserkrüge auf ihren Köpfen und wurden von einer Schar vergnügt lärmender Kinder umringt. In der Mitte des Stroms, der im letzten Licht des Tages glitzerte, warfen zwei Fischer ihre Netze aus. Sanft wiegte sich das Schilf im Abendwind.

„Wir sollten weiter die Augen aufhalten“, schlug Kim schließlich vor. „Wenn der Täter Hatschepsut töten will, muss er sich ihr nähern.“

Kurz darauf hatten die Freunde ihre Kammer im Palast erreicht. Gerade, als sie sich auf ihre Matten fallen lassen wollten, kam Ani herein, ein zu einem Bündel gebundenes Tuch über der Schulter.

„He, wo habt ihr gesteckt?“, wollte er wissen. Aber er wartete die Antwort gar nicht ab. „Schaut, was ich aus der Küche stibitzt habe!“ Er griff in das Bündel und hielt den Freunden etwas herrlich Duftendes unter die Nase.

„Mmh“, meinte Leon begeistert. „Honigkuchen!“

„Genau, und dazu gibt es Feigen!“, rief Ani und griff erneut in das Bündel. „Aber ich habe noch etwas mitgebracht!“ Nun zog er ein Brettspiel hervor. Während sie aßen, erklärte Ani die Regeln. Julian, Kim und Leon erkannten sofort, dass es sich um eine Art Damespiel handelte.

Ani zog die Spielsteine mit einer unglaublichen Geschwindigkeit und gewann im Schein des Öllämpchens ein ums andere Mal. Dabei redete er unaufhörlich und machte Witze über Rechmire. Erst nach zwei Stunden erhob er sich und sagte: „Bei Amun, es ist schon spät. Zeit, dass auch ich mich hinlege. Schließlich ist morgen ein besonderer Tag!“

„So?“

„Ach, ihr armen Unwissenden von der Oase!“, lachte Ani. „Wisst ihr denn nicht, dass morgen das große *Opet-Fest* ist?“

Die Freunde zuckten mit den Schultern.

„An diesem Tag verlassen die Götter Amun, Month

und Mut ihre Tempel und werden dem Volk gezeigt! Und auch die göttliche Hatschepsut wird zu sehen sein“, erklärte Ani strahlend. „Die Priester tragen die Barken der Götter zum Fluss. Und jeder darf zuschauen! Natürlich werde ich auch da sein – mit meiner ganzen Familie!“

Kims Augen blitzten: „Die Priester, sagst du?“

„Ja, sicher. Nur sie dürfen die Barken der Götter berühren.“

„Das ist ja wirklich sehr interessant“, meinte Kim viel sagend. „Ich glaube, das Fest sollten auch wir uns nicht entgehen lassen, Jungs!“

Narbenhand

Weihrauch waberte durch den Tempel, in dem völlige Stille herrschte. Vorsichtig, als wollte er diese heilige Stille nicht stören, zerbrach der Oberpriester mit dem kahl rasierten Kopf das Lehmsiegel, das den Schrein des Amun schützte. Ein feiner Strahl der späten Nachmittagssonne hatte sich in den düsteren Raum verirrt und fiel jetzt auf die sitzende Statue von Amun. Seine große, göttliche Gestalt aus purem Gold blitzte auf. Ehrfürchtig trat der Oberpriester einen Schritt zurück.

„Imen wer er nechnech", flüsterte er. *Amun ist groß in Ewigkeit.*

Dann legte er sich flach auf den Boden, um dem Gott zu huldigen. Amun sah nachdenklich über ihn hinweg, mit kalten Augen aus Gold und einem sanften Lächeln, das ebenso wissend wie machtbewusst war. Nachdem der Oberpriester seine Gebete gemurmelt hatte, erhob er sich wieder und begann, den Gott neu einzukleiden. Heute, am Tag des Opet-Festes, gab er sich noch mehr Mühe als sonst. Amun bekam das beste Leinen, das im ganzen Land gefertigt wurde. Sobald der Oberpriester fertig war, gab er einigen untergeordneten Priestern ein Zeichen. Geräuschlos glitten die Diener des Gottes mit einem hölzernen, bootsförmigen Schrein heran und luden die schwere Statue hinein. Auf ein leises Kommando hoben die Priester die Last an. Der Gott war bereit, sich dem Volk zu zeigen. Der Oberpriester nickte den Männern zu und sie marschierten langsam aus dem Tempel. Über den Handrücken des Priesters, der vorne links ging, verlief eine gezackte Narbe.

Abertausende säumten den Weg, der von den Tempeln in Karnak zum Nil führte. Seit Stunden harrte das Volk aus. Wer konnte, hatte einen Platz möglichst dicht am Tempelbezirk ergattert, der ehrfürchtig *Ipet-isut*, Auserwählte aller Stätten, genannt wurde. In der Menge brodelte es. Und in den Augen vieler Menschen lag ein seltsamer Glanz. Nur einmal im Jahr hatten sie die Gelegenheit, einen Blick auf ihren höchsten Gott zu werfen. Und diesen Moment wollte sich niemand entgehen lassen. Dass auch Hatschepsut, Mut und Month zu sehen sein würden, erhöhte den Reiz. Überall wurde getuschelt und gemurmelt, aber niemand wagte, die Stimme zu erheben. Auch Julian, Kim und Leon wurden von der allgemeinen Aufregung erfasst. Eine Zeit lang hatten sie nach Ani Ausschau gehalten, aber der war mit seiner Familie irgendwo im Gedränge verschwunden.

Nun starrten die Freunde wie alle anderen nervös auf den Soldaten, der allein und völlig regungslos vor dem Pylon des Amuntempels stand. Endlich kam Bewegung in ihn. Der Soldat hob langsam die Hand und reckte sie zum Sonnengott Re. Sofort erstarb jedes Gemurmel im Volk. Ein Musiker erschien neben dem Soldaten und begann, eine Trommel zu schlagen. Erst langsam wie der Schlag eines Herzens. Dann steigerte sich der Trommler, bis seine Hände mit den Schlegeln in einem rasenden Tempo über das Fell jagten. Abrupt stoppte der Wirbel. Alle hielten den Atem an. Endlich kam der Moment, auf den alle gewartet hatten: Das Tor zum Heiligsten des Heiligen öffnete sich. Heraus schritten die Priester mit den Barken, in denen die Götter thronten. Zuerst kam die Barke mit der göttlichen Hatschepsut. Die Anspannung des Volks entlud sich in ohrenbetäubendem Jubel. Die Herrscherin glitt auf einer Woge der Begeisterung an ihren Untertanen vorbei. Mit einem angedeuteten souveränen Lächeln nahm die Pharaonin die Huldigungen entgegen. Sie trug die Doppelkrone, Krummstab und Wedel sowie einen feinen Mantel, der mit hunderten von Diamanten besetzt war.

„Eine schöne Frau“, flüsterte Leon verzaubert.

„Was für eine Pracht und ein Reichtum!“, sagte Julian fassungslos.

„Ihr sollt nicht auf die schöne Frau achten“, spottete Kim, „sondern auf einen Priester mit einer Narbe auf der Hand!“

„Klar, machen wir“, entgegneten Leon und Julian schnell. Sie drängten sich ein wenig nach vorn, um die Priester besser im Blick zu haben. Doch die Hände der Priester, die Hatschepsuts Barke trugen, hatten nicht einmal den kleinsten Kratzer. Nun gerieten die Barken der Götter Mut und Month ins Blickfeld der Freunde. Doch auch hier spähten sie vergeblich nach dem verräterischen Zeichen.

Akrobaten und Musiker, die auf *Sistren*, Trommeln und Lauten spielten, folgten. Junge Tänzerinnen wiegten sich zu den schnellen Rhythmen. Am Ende der Prozession kam als letzter Höhepunkt – Amun!

Die Menge wogte hin und her. Die Freunde hatten große Mühe, ihre guten Plätze zu verteidigen. Die goldene Statue kam auf sie zu. Die Gesichter der Priester waren ernst. Schweiß rann ihnen über die Stirn. Ein großer, schwerer Mann schob sich nach vorn und drängte Leon einfach zur Seite. Sein Protest verhallte ungehört. Leon brüllte nach Kim und Julian, doch sie hörten ihn nicht.

So ein Mist!, dachte er. Er wollte sich an seinen alten Platz zurückkämpfen, hatte aber keine Chance. Die Hände, sieh dir die Hände an, ermahnte er sich. Kim und Julian wirst du schon noch wiederfinden.

Leon richtete seinen Blick wieder nach vorn und spähte hinter dem Rücken des Mannes hervor, der ihn abgedrängt hatte. Jetzt war die Statue auf Leons Höhe. Plötzlich erstarrte er. Einer der Priester, der die Barke trug, hatte eine Narbe auf dem rechten Handrücken! Leon schaute noch einmal genau hin. Ja, kein Zweifel: Da war die Narbe! Und was jetzt? Nervös zupfte er an seinem Ohr. Er musste zu seinen Freunden. Leon trat dem großen Mann, der ihn abgedrängt hatte, mit aller Kraft auf den Fuß. Der Trick hatte Erfolg! Der Mann stieß einen Fluch aus und hüpfte auf einem Bein herum. Jetzt konnte Leon sich an ihm vorbeimogeln und zu seinen Freunden gelangen.

„Habt ihr das auch gesehen?“, fragte Leon die beiden.

„Klar, das ist unser Mann. Wir müssen an ihm dranbleiben!“, rief Kim.

Julian gab ihnen einen Wink. „Kein Problem! Schaut nur!“

Hinter der letzten Barke flutete das Volk auf den Weg und folgte dem Festzug. Julian, Kim und Leon schlossen sich an.

„Sollen wir nicht einfach die Soldaten verständigen?“, fragte Julian auf dem Weg zum Nil.

„Nein“, antwortete Kim. „Wir haben gegen den Priester nichts in der Hand! Wir brauchen Beweise!“

„Das sehe ich auch so“, meinte Leon. „Lasst ihn uns beobachten. Er hat bestimmt noch Helfer. Vielleicht führt er uns zu ihnen!“

„Na gut“, gab Julian klein bei. Ihm war nicht besonders wohl bei dem Gedanken, sich an die Fersen eines Mannes zu heften, der nichts unversucht ließ, Hatschepsut zu töten. Aber die Entscheidung war gefallen.

Im Grab

Die Prozession erreichte den Nil. Dort wurden die heiligen Barken mit den Göttern auf kleine Schiffe gestellt. Das schönste Boot war Amun vorbehalten. Es war über und über mit Gold und Edelsteinen verziert. Gefolgt von den Booten der Pilger glitten die Götter majestätisch flussaufwärts zum Tempel von Theben. Der Tross mit den Priestern, Soldaten, Akrobaten, Musikern, Tänzerinnen und der einfachen Bevölkerung folgte am Ufer.

Julian, Kim und Leon ließen den groß gewachsenen Mann mit der Narbe nicht aus den Augen. Gebete vor sich hin murmelnd schritt er den staubigen Weg entlang.

Der Mann war alt. Seine Haut wirkte ledern, aber er hatte den Gang eines jungen Kriegers, elastisch, fast federnd. Sein Blick war konzentriert nach vorne gerichtet. Zweifellos war er jemand, der sich durchzusetzen wusste. Niemand sprach mit ihm und auch er suchte keinen Kontakt zu anderen. Er blieb allein inmitten der Menge.

Immer wieder hielten die Thebaner an, um an den zahlreichen Altären, die entlang des Prozessionsweges aufgestellt worden waren, Opfer für die Götter darzubringen. In Höhe des Tempels ankerten die Barken auf dem Nil. Unter Trommelklängen wurden die Götter ans Ufer gebracht. Noch einmal hatte das Volk Gelegenheit, einen Blick auf sie zu werfen. Anschließend trugen die Priester die Statuen von Amun, Month und Mut in den Tempel, wo sie die nächsten 27 Tage bleiben würden. Nur die Barke mit Hatschepsut blieb vor den Tempelmauern.

„Mist, jetzt ist der Priester im Tempel verschwunden", schimpfte Kim.

„Abwarten, vielleicht kommt er ja gleich wieder heraus", antwortete Leon.

In diesem Moment ertönte erneut ein Trommelwirbel. Die Pharaonin erhob sich. Augenblicklich kehrte eine gespannte Stille ein. Die Herrin vom Nil ließ ihren kühlen Blick über die erwartungsvolle Menge schweifen. Der Anflug eines Lächelns umspielte Hatschepsuts Mund, als sie mit knappen Worten das Volk einlud, mit ihr zu Ehren Amuns weiterzufeiern. Großer Jubel brach aus, sobald die Pharaonin ihre Ansprache beendet und den Musikanten ein Zeichen gegeben hatte. Fröhliche Melodien erklangen, und die Bewohner Thebens begannen ein Fest zu feiern, das traditionell bis tief in die Nacht dauerte. Wein und Bier flossen in Strömen, es wurde gelacht und getanzt. Alle schienen auf den ersten Blick ausgelassen. Doch wer genauer hinsah, bemerkte die Anspannung, die auf den Gesichtern von Hatschepsuts Leibwächtern lag. Sie passten auf, dass kein Unbefugter sich der Pharaonin näherte. Diener hatten für sie ein Podest aufgebaut. Dort saß Hatschepsut unter einem Sonnensegel auf einem goldenen Thron und nahm die Huldigungen einiger Adliger entgegen. Auf den umliegenden Dächern kauerten Soldaten und beobachteten die Menge, Pfeil und Bogen griffbereit neben sich.

Auch Julian, Kim und Leon blieben auf der Hut. Sie kauften sich an einem Stand Honigbrot und Milch, hockten sich auf eine Mauer und beobachteten den Eingang zum Tempel. Würde der Priester wieder auftauchen? Eine Stunde verging, ohne dass etwas passierte. Allmählich begann es zu dämmern.

Immer wieder betrachtete Julian fasziniert den stattlichen Pylon des Tempels. Verglichen mit der ägyptischen Kultur, die Jahrtausende überdauerte, fühlte sich Julian klein und unbedeutend. War es vermessen von ihm und seinen Freunden, Hatschepsut vor einem mörderischen Komplott schützen zu wollen? Julian seufzte. Vielleicht sollten sie die Heimreise antreten und aufhören, Schicksal zu spielen. Vielleicht sollten sie auch aufhören … Etwas strich an Julians nackten Beine vorbei.

„Kija!“, rief er erfreut. Mit einem Satz sprang die Katze auf seinen Schoß. „Wo kommst du denn her?“, fragte Julian.

Kija maunzte zufrieden, als sie von Julian, Kim und Leon gleichzeitig gestreichelt wurde. Plötzlich versteifte sich der Körper der Katze. Sie sprang von Julians Schoß und machte einen drohenden Buckel. Ihre Augen waren auf den Pylon gerichtet. Ihr Schwanz peitschte aufgeregt hin und her. Julian erkannte als Erster, was Kija entdeckt hatte.

„Der Priester! Hinter der Säule!“, rief er atemlos.

„Aber wie kann Kija wissen, was …?“ Kim brach den Satz ab. Es war klar, dass sie auf ihre Frage keine Antwort bekommen würde. Außerdem blieb ihnen keine Zeit zum Nachdenken. Der Priester drohte aus ihrem Blickfeld zu verschwinden. Gerade huschte er hinter dem Podest entlang. Die Freunde sahen sich an. Ein kurzes Nicken. Und schon schlichen die drei dem Priester unauffällig hinterher. Niemandem in der ausgelassenen Menge fiel es auf, dass die Kinder von der heiligen Katze begleitet wurden.

Eilig lenkte der Priester seine Schritte zum Nilhafen. Auch hier herrschte Feststimmung. Aber der Priester schenkte den Feiernden keine Aufmerksamkeit. Er ging an Bord der Fähre, die bereits voller Passagiere war. Schon gab der Kapitän das Zeichen zum Ablegen. Zwei Männer mit kräftigen Muskeln begannen die Seile zu lösen, mit denen die Fähre am Steg vertäut war. Im letzten Moment sprangen Julian, Kim, Leon und Kija noch auf das Schiff. Ängstlich klammerte sich die Katze an Julian. Voller Panik bohrte sie ihre Krallen in seine Arme. Julian sprach beruhigend auf sie ein.

„Du wirst nie ein guter Seemann werden", flüsterte Julian Kija ins Ohr. „Aber mach dir nichts draus: ich auch nicht."

Die Katze miaute ängstlich.

Wenig später legte die Fähre in der Stadt der Toten an. Der Priester schob sich durch das Gedränge am Anlegesteg und schlug dann den Weg ein, der zum Tal der Könige führte. Über dem Tal thronte ein Berg, der von den Thebanern nur ehrfürchtig der „Gipfel" genannt wurde.

Die Freunde hatten größte Mühe, dem Priester zu folgen. Sie huschten von Hausecke zu Hausecke, von Deckung zu Deckung. Immer bestand die Gefahr, den Mann mit der Narbe aus den Augen zu verlieren. Außerdem mussten Kim, Leon und Julian damit rechnen, dass der Verfolgte sich umdrehen und sie entdecken würde. Der Weg führte stetig bergan. Bald gab es keine Wohnhäuser mehr und die ersten Gräber tauchten auf. Sie lagen noch ein gutes Stück vor dem Tal der Könige und gehörten reichen Händlern und Beamten, die bereits zu Lebzeiten ihre Gräber in den Felswänden anlegen ließen.

Jetzt mussten die Kinder dem Priester einen noch größeren Vorsprung lassen, um nicht entdeckt zu werden. Der Weg führte durch eine Akazien-Allee und machte plötzlich einen scharfen Knick. Dahinter war eine schroffe Felswand zu sehen – sonst nichts! Der Priester war wie vom Erdboden verschluckt. Ratlos sahen sich die Freunde an. Da entdeckte Kim eine etwa mannshohe Öffnung im Gestein.

„Das wird der Eingang zu einem Grab sein“, sagte sie. „Da ist der Kerl rein, wetten?“

„Der Eingang ist offen und nicht bewacht“, erkannte Leon. „Offenbar ist das Grab noch im Bau, aber heute feiern alle.“

„Was will der Priester dann dort?“, fragte Julian.

Kim grinste. „Vielleicht sollten wir das jetzt herausfinden?“

Julian ahnte das Schlimmste. „Du willst doch nicht etwa in das Grab?“

„Doch, genau das!“, antwortete Kim unternehmungslustig. Schon war sie unterwegs.

„Da mach ich nicht mit“, protestierte Julian leise. Aber als er sah, dass Leon und Kija dem Mädchen folgten, überlegte er es sich anders. Er wollte auch nicht allein draußen vor dem Grab warten.

Im Grab war es dunkel und kühl. Es dauerte einige Zeit, bis sich die Augen der Freunde an das Dämmerlicht gewöhnt hatten. Im Eingangsbereich hatten Künstler begonnen, ein Bild von Anubis an die Wand zu malen. Der Gott mit dem Hundekopf wachte über das Portal zum Reich des Todes. Dahinter führte ein Gang ein Stück bergab. Nach wenigen Metern sahen die Kinder kaum noch was. Ein kleines Tier mit flinken Beinen huschte über Julians nackte Füße. Er unterdrückte einen Schrei. Was war das? Eine Ratte? Oder ein Skorpion? Er wollte es lieber gar nicht wissen.

„Stopp!“, zischte er. „Das hat doch überhaupt keinen Sinn bei dieser Dunkelheit!“

„Quatsch!“, raunte Kim aufgeregt und deutete nach

vorn. Und jetzt sah es auch Julian. Ein Stück vor ihnen tanzte ein schwaches Licht.

Vielleicht der Priester mit einer Öllampe, dachte Julian. Vielleicht ein Mörder mit einer Öllampe! Bei dem Gedanken wurde ihm flau im Magen. Aber er lief tapfer seinen Freunden hinterher. Es wurde immer kühler, je tiefer sie in den Berg eindrangen. Es roch modrig. Julian fröstelte. Er tastete zu seinen Füßen nach Kija, konnte sie aber nicht finden.

Nach fünfzig Metern stieß Kim einen unterdrückten Schrei aus. Fast wäre sie in der Dunkelheit gegen den Fels gelaufen. Der Gang schien zu Ende zu sein.

„Hier ist nichts. Lasst uns umdrehen", mahnte Julian. „Draußen wird es inzwischen dunkel sein und wir müssen noch zum Palast zurück."

„Nein", widersprach Kim. „Ich will noch nicht aufgeben."

„Ich auch nicht", stimmte Leon ihr zu. „Der Priester muss doch irgendwo hin sein."

„Hier scheint es weiterzugehen", meldete Kim jetzt. Sie tastete sich an der Wand entlang.

Julian schüttelte den Kopf. Vom Schein des Öllämpchens war nichts mehr zu sehen. Sie waren von vollkommener Dunkelheit umgeben.

Vielleicht wird das hier *unser* Grab?, durchfuhr es

Julian. Panik erfasste ihn, doch abermals ließ er sich nichts anmerken. Auch er tastete sich jetzt am Fels entlang. Plötzlich hörte die Wand auf. Julian vermutete, dass sie in einer Kammer angekommen waren. Aus den Büchern über Ägypten wusste er, dass jedes größere Grab einen Opferraum und eine Gruft hatte, in der die Mumie ruhte. Häufig hatten die Architekten auch so genannte Blindkammern angelegt, um Grabräuber in die Irre zu führen. Manche Gräber waren auch als Labyrinthe gebaut, aus denen es kein Entkommen gab …

„Psst!“, machte Leon in diesem Moment. „Hört ihr das?“

Julian und Kim lauschten angestrengt. Jetzt vernahmen auch sie ein leises Murmeln. Der Priester musste in ihrer Nähe sein, aber er war nicht allein!

Die Freunde gingen ein Stück weiter durch die Dunkelheit, setzten vorsichtig Fuß vor Fuß, verließen die Kammer und gelangten in einen weiteren Schacht. Hier sahen sie auch wieder einen Lichtschein. Julians Herz schlug höher. Der Gang führte auf eine weitere Kammer zu, die Stimmen wurden lauter. Unmittelbar vor der Kammer versteckten sich die Freunde hinter einem Felsvorsprung und lauschten. Jetzt spürte Julian endlich wieder die angenehme Wärme von Kijas Körper und ihr weiches Fell.

„Habt ihr gesehen, wie sich Hatschepsut hat feiern lassen?“, rief eine Männerstimme wütend. „Sie hat sich auf eine Stufe mit Amun gestellt! Hatschepsut will ein Gott sein! Aber sie ist eine Frau! Das ist ungeheuerlich!“

Zustimmendes Gemurmel erhob sich.

„Sie hält den wahren Pharao vom Thron fern! Das ist ein Verbrechen!“, wetterte der Mann weiter.

Vorsichtig spähten die Kinder hinter dem Felsvorsprung hervor. Der Priester mit der Narbenhand stand in der Gruft, die mit aufwändigen Malereien verziert war und von mehreren Öllämpchen erhellt wurde. Um den Priester hatten sich zehn weitere Männer gruppiert, die dem Redner Beifall spendeten.

„Ja, Hatschepsut muss weg!“, rief einer der Männer, der den Kindern den Rücken zuwandte. Er war auffallend dick.

Diese Stimme kam ihnen bekannt vor! Die Freunde sahen sich mit großen Augen an. Sie hatten alle denselben furchtbaren Verdacht.

„Unsere heilige Pflicht ist es, diese Frau vom Thron, der nur einem Mann vorbehalten ist, zu entfernen", fuhr der Priester fort. „Es muss uns endlich gelingen, bei Amun!"

„Recht hast du, Nebamun!", rief der Dicke erneut.

Spätestens jetzt waren die Zweifel der Kinder wie weggeblasen: Der feiste Koch Rechmire gehörte zu den Verschwörern! Doch ein anderer, den die Kinder in der Gruppe viel eher vermutet hatten, fehlte: der Diener von Inebny.

Der Priester Nebamun ballte die Fäuste und rief hasserfüllt. „Thutmosis III. gehört auf den Thron. Er ist der rechtmäßige Erbe. Und Hatschepsut muss sterben!"

„Stellt euch nur vor, wenn der kleine Thutmosis der Herrscher am Nil wäre", schwärmte ein anderer Mann. „Er wäre Wachs in unseren Händen. Wir würden größten Einfluss gewinnen. Das wäre gut für unser Reich … und gut für unsere Geldbeutel!" Sein Lachen schallte durch die Gruft.

Rechmire stimmte in sein Gelächter mit ein. „Ja, und wir müssten uns nicht mehr in Nebamuns Grab treffen", meinte er. „Wir könnten im Palast unsere Pläne schmieden."

„Dein Platz wird in der Küche bleiben, Rechmire,

während ich das Amt des Ersten Hohepriesters des Amun anstrebe“, sagte der Priester herablassend. „Aber du wirst der reichste Koch des Reiches sein, wenn es dir endlich gelingt, das Weib zu vergiften.“

Rechmire verbeugte sich. „Natürlich weiß ich, wo mein Platz ist, edler Nebamun. Aber an meinen vergifteten Speisen hat es nicht gelegen. Einmal kam mir der Vorkoster dazwischen, beim zweiten Mal die verdammte Katze.“

„Du hast versagt“, erwiderte Nebamun. „Genauso wie der ungeschickte Bogenschütze, den ich mit einem wertvollen Amulett teuer bezahlt habe. Aber morgen wird Hatschepsut sterben, verlasst euch drauf. Sie will auf ihrem Prunkschiff eine Vergnügungsfahrt unternehmen. Diesen Ausflug wird sie nicht überleben. Entweder wird sie an Rechmires Kochkünsten sterben oder durch einen Dolch. An Bord werden mehrere gedungene Mörder unter den Ruderern sein. Hatschepsut ist so gut wie tot! Uns gehört die Macht!“

„Uns oder dir?“, fragte Rechmire in den allgemeinen Jubel hinein.

Nebamun sah den Koch scharf an und tippte ihm mehrmals auf die Brust: „Noch so eine Frage, Rechmire, und die Schakale dürfen sich über einen äußerst wohlgenährten Happen freuen – nämlich über dich!

Solange ich dich bezahle, hast du zu gehorchen und zu schweigen!“

Die Freunde hatten genug gehört. Sie nickten sich zu und wollten ganz leise den Rückweg antreten, um die Pharaonin zu warnen. Als sich Leon aufrichtete, knackte sein Knöchel laut und vernehmlich. Die Freunde duckten sich wieder und hielten die Luft an.

„Was war das?“, fragte Nebamun mit dröhnender Stimme.

Die Freunde warfen sich bange Blicke zu. Hoffentlich wurden sie nicht entdeckt!

„Das kam von da drüben“, hörten sie einen der Männer sagen.

Dann war wieder Nebamun zu hören: „Ich sehe mal nach.“

Die Freunde machten sich klein, winzig klein. Julian schloss die Augen.

Sandalen klapperten über den felsigen Boden. Das Geräusch kam rasch näher. Dann tauchte ein Gesicht über den dreien auf. Nebamun hatte sich über den Fels gebeugt.

„Ja, wen haben wir denn da?“, fragte der Priester mit einem fiesen Grinsen.

Blitzschnell sprangen die Freunde auf und wollten wegrennen. Doch der Priester bekam mit einer Hand

Kim zu fassen. Mit der anderen zog er einen Dolch hervor und drückte ihn dem Mädchen an den Hals. Kim spürte das kalte Metall an ihrer Haut. Die Klinge war furchtbar scharf. Das Mädchen rührte sich nicht. Dennoch ritzte der Dolch ihre Haut auf. Warmes Blut begann an Kims Hals herunterzulaufen.

„Bleibt stehen!“, brüllte Nebamun den beiden Jungen hinterher. „Sonst töte ich das Mädchen!“

Der Kampf

Julian und Leon fuhren herum. Als sie erkannten, in welcher Gefahr Kim schwebte, machten sie augenblicklich kehrt. Auch Kija wandte sich um.

„Lauf weg“, schrie Julian sie an, doch die Katze blieb bei ihnen.

„So ist es brav“, sagte der Priester, als die Jungen und die Katze vor ihm standen. Er besah sich das Tier genauer und stieß einen überraschten Laut aus. „Wenn mich nicht alles täuscht, ist das dieses Mistvieh Kija! Was für ein bemerkenswerter Fang!“ Er gab seinen Komplizen ein Zeichen: „Fesselt die Kinder!“

„Womit?“, kam es zurück.

„Schaut euch einfach mal um“, rief Nebamun ärgerlich. „Irgendwo haben die Handwerker bestimmt etwas liegen gelassen, das ihr verwenden könnt.“

Rechmire war es schließlich, der mit einem Strick auftauchte. Umständlich begann er, die Kinder zu fesseln. Leon faltete die Hände vor dem Bauch, als würde er beten. Als Rechmire den Strick um seine Gelenke legte, spreizte der Junge die Hände leicht auseinander. Der Koch ging zu Kim, und Leon probierte, ob sein Trick funktioniert hatte. Sein Atem ging schneller. Tatsächlich, wenn er die Hände entspannte, saß die Fessel relativ locker …

„Wie könnt ihr es wagen, uns zu belauschen?", zischte Rechmire Kim zu.

„Wie kannst du es wagen, dich gegen die Pharaonin zu erheben, du dickes Nilpferd?", antwortete Kim, die nichts von ihrer Schlagfertigkeit verloren hatte.

„Halt deinen vorlauten Mund!", schimpfte der Koch wütend.

„Mir scheint, ihr kennt euch", sagte Nebamun, der die Szene interessiert beobachtet hatte.

„Ja", gab Rechmire zu. „Die drei arbeiten bei mir in der Küche."

„Ach?", sagte der Priester. „Dann hast du die Kinder womöglich auf unsere Spur gebracht, Rechmire!"

Der Koch wich zurück, bis er mit dem Rücken die Wand des Grabes berührte. „Nein, nein", stotterte er. „Ganz sicher nicht!"

Der Priester kam auf ihn zu. Den Dolch hatte er noch in der Hand. „Bist du dir da ganz sicher, Köchlein? Wer sagt mir, dass du nicht unvorsichtig warst und nicht auch die anderen aus der Palastküche auf dem Weg hierher sind? Bei Osiris!"

„Ich", stammelte Rechmire, die Augen weit aufgerissen. „Ich versichere es dir!"

„Dein Versprechen ist nichts wert, weil du Angst hast." Nebamuns Worte hallten wie Peitschenschläge durch die Gruft. „Angst um dein jämmerliches Leben. Du solltest froh sein, es auf dem Altar von Amun zu opfern. Du Nutzloser, du gefährdest die ganze Aktion. Aber zu dir komme ich später." Der Priester wandte sich an die Kinder. „Nun zu euch: Was habt ihr hier verloren? Und vor allem: Wer hat euch geschickt?"

„Niemand", antwortete Julian fest. „Wir brauchen niemanden, der uns den Weg zeigt. Wir selbst waren es, die dir auf die Schliche kamen. Die Narbe auf deiner Hand war es, die uns hierher führte."

Im Hintergrund atmete Rechmire hörbar auf.

„Die Narbe?" Nebamun war einen Moment irritiert. Gedankenverloren rieb er sein Kinn. „Das spielt auch keine Rolle mehr", sagte der Priester dann schnell. „Jedenfalls können wir es uns nicht leisten, euch am Leben zu lassen. Aber hier können wir euch schlecht beseitigen. Hat jemand einen Vorschlag?"

„Ja", meldete sich Rechmire diensteifrig und unterwürfig. „Wir könnten sie den Krokodilen vorwerfen.

Das würde keine Spuren hinterlassen. Und die Krokodile haben immer Hunger.“

„Stimmt, das haben sie mit dir gemeinsam“, erwiderte Nebamun mit eisiger Stimme. „Aber so schlecht ist dein Vorschlag nicht.“

Als die Kinder und die Katze, umringt von den Verschwörern, aus dem Grabeingang traten, war die Sonne bereits untergegangen. Die Männer verließen den Weg und trieben die Freunde über einen Trampelpfad Richtung Nekropole.

Julian machte sich jetzt große Vorwürfe, dass er seine Freunde auf die Zeitreise mitgenommen und sie in so große Gefahr gebracht hatte. Warum, so fragte sich Julian, warum nur hatte er nicht geschwiegen und das Geheimnis von Opa Reginald für sich behalten? Es war nicht gefährlich, solange man es in Ruhe ließ. Doch Julian hatte seinen Gefährten die Tür zu diesem verbotenen Raum geöffnet. Jetzt gab es kein Zurück mehr. Kim, Leon, Kija und er selbst waren so gut wie tot. Und er, Julian, war schuld.

„Es tut mir Leid, dass ich euch in Gefahr gebracht habe“, sagte Julian leise und traurig.

„Das braucht es nicht“, meinte Kim. „Wir wollten doch selbst die Zeitreise machen.“

„Ja“, stimmte Leon zu und versuchte, zuversichtlich zu klingen. „Und vielleicht haben wir ja noch eine Chance.“ Immer wieder bewegte er die Hände in der Fessel. Seine Gelenke waren schon ganz wund. Doch Leon hatte das Gefühl, dass die Fessel immer weiter wurde – Millimeter für Millimeter. Womöglich würde es ihm gelingen, die Fessel ganz abzustreifen.

„Haltet endlich die Klappe“, schnauzte Nebamun die Kinder an.

Schweigend und mit gesenkten Köpfen stolperten Julian, Leon und Kim über den steinigen Weg.

Kurz darauf tauchte der Nil vor ihnen auf – ein breites, silbernes Band im Mondlicht. Am seichten Ufer, gut vom Schilf verborgen, lagen zwei lange Kanus. In das eine kletterten Nebamun, Rechmire und die Kinder, in das andere die übrigen Verschwörer. Der feiste Koch hockte vorn im Boot und begann, das Kanu vom Ufer wegzustaken. In der Mitte saßen Leon, dann Kim und schließlich Julian und Kija. Ganz hinten stand Nebamun und tat es Rechmire gleich. Konzentriert steuerten die Männer das Kanu in die Mitte des Stromes.

Leon war immer noch damit beschäftigt, seine Hände zu bewegen und die Fessel weiter zu lockern. Ganz vorsichtig, denn er hatte Angst, dass man sein

Tun entdecken könnte. Also beugte er den Oberkörper weit nach vorn. Sobald das Boot etwa die Mitte des Stromes erreicht hatte, tauchten im Wasser längliche Schatten auf: Die ersten Krokodile schwammen heran. Leon begann zu schwitzen. Er musste die Fessel schnell loswerden. Die Zeit wurde knapp! Verbissen arbeitete er weiter und verdrängte den Schmerz, der seine Arme hinaufkroch wie ein lähmendes Gift.

„Stopp!“, rief Nebamun in diesem Moment. „Ich würde sagen, hier ist ein guter Platz, um sich von unseren Gästen zu verabschieden. Springt!“

Leon schloss die Augen und riss seinen rechten Arm mit voller Wucht zurück – er war frei!

Als die Kinder sitzen blieben, befahl der Priester dem Koch gereizt: „Los, Rechmire, wirf die Bande über Bord.“

Schwerfällig erhob sich der Dicke. Leon reagierte blitzschnell: Er sprang auf, entriss dem verdutzten Koch das Ruder und stieß ihn damit über Bord. Mit einem lauten Platschen fiel Rechmire in den Nil. Leon drehte sich um, packte das Ruder wie eine Lanze und ging damit auf den Priester los.

„Na warte!“, brüllte Nebamun. Er ließ sein Ruder los und zückte den Dolch. Das Kanu begann zu schaukeln und zu schlingern und trieb führerlos im Fluss.

Der Priester hob den Dolch und wollte ihn auf Leon schleudern. Plötzlich schrie Nebamun vor Schmerz auf: Die Katze hatte ihre Zähne in den Arm geschlagen, mit dem er die Waffe führte. Nebamun ließ den Dolch fallen. Kija verpasste dem Priester mit ihren scharfen Krallen tiefe Kratzer im Gesicht. Der Priester schwankte, dann fiel auch er ins Wasser. Mit einem Satz brachte sich Kija auf dem schmalen Kahn in Sicherheit.

„Hilfe! Holt mich hier raus!“, flehte Nebamun seine Komplizen an, die sofort auf ihn und Rechmire zupaddelten.

Während die Besatzung des zweiten Kanus damit beschäftigt war, die beiden zu bergen, hob Leon den Dolch auf und durchschnitt die Fesseln von Kim und Julian.

„Mensch, super! Das war knapp!“, lobte Julian den Freund. „Danke für die Rettung in letzter Minute!“

„Freu dich nicht zu früh!“, rief Leon. „Die werden nicht so schnell aufgeben!“ Mit aller Kraft stieß er das Paddel in die Fluten. Die Schmerzen in seinen Händen spürte er nicht mehr.

Leon sollte Recht behalten. Die Komplizen hatten Nebamun und Rechmire an Bord gehievt, bevor die hungrigen Krokodile mit ihrer Mahlzeit begonnen hatten. Jetzt nahmen die Verschwörer die Verfolgung der Kinder wieder auf. Rasch kam ihr Boot näher.

Mit nur geringem Vorsprung erreichten die Kinder das Ufer. Das Kanu rauschte ins Schilf. Die drei sprangen von Bord, rannten die sanfte Böschung hinauf und flitzten Richtung Palast, die Katze dicht an ihrer Seite. Hinter sich hörten sie die Stimmen der Verschwörer.

„Wir schaffen es, wir schaffen es!“, feuerte das Mädchen die Freunde an. „Wir sind zu … Aua!“ Mit einem Schrei brach Kim zusammen. Sie war umgeknickt. Ein höllischer Schmerz jagte durch ihr Bein. Mit zusammengebissenen Zähnen wollte Kim aufstehen und weiterhumpeln, aber es ging nicht.

„Lauft weiter!“, herrschte sie Leon und Julian an. „Ich verstecke mich hier irgendwo!“

„Quatsch!“, sagte Leon. Er versuchte, Kim zu stützen.

„*Das* ist Quatsch“, antwortete Kim. Tränen standen ihr in den Augen. „So sind wir zu langsam. Ihr müsst euch retten, lauft endlich weiter!“

„Nein“, sagten Leon und Julian wie aus einem Munde. „Wir werden dich auf keinen Fall allein zurücklassen.“

Kim sah sich um. Die Männer stürmten auf sie zu. Gleich würden sie die Kinder erreichen.

„Wenigstens einer von uns muss Hilfe holen!“, flehte sie die Freunde an.

Julian und Leon blickten sich kurz an. Leon nickte. Julian hatte verstanden und rannte los.

Rasch krabbelten Leon, Kim und Kija in ein Gestrüpp am Wegesrand. Dornen zerrissen die Kleider der Kinder. Sie kauerten sich dicht aneinander. Die Stimmen der Verschwörer wurden lauter.

„Wo sind die hin?“, fluchte Nebamun. „Gerade habe ich sie noch gesehen.“

„Keine Ahnung“, gab Rechmire zurück. „Aber weit können sie nicht sein. Vielleicht haben sie sich hier irgendwo versteckt.“

„Dann sucht gefälligst! Vor allem du, Köchlein, denn dir haben wir den ganzen Ärger zu verdanken. Und bete zu Amun, dass du diese Kinder schnell findest!“

Ein verräterischer Dolch

Julian rannte, bis seine Lungen brannten. Der Schmerz zwang ihn, das Tempo zu verlangsamen. Vor ihm tauchten Lichter auf – Julian hatte die ersten Häuser Thebens erreicht. Ausgelassenes Gelächter und fröhliche Musik waren zu hören. Das Opet-Fest war anscheinend noch in vollem Gang. Die ganze Stadt war ein einziger Festplatz. Angsterfüllt warf Julian einen Blick über die Schulter. Offenbar waren die Verfolger zurückgefallen. Erleichtert wankte er auf eine Gruppe von Feiernden zu, die vor dem Lehmhaus eines Spiegelmachers stand und im Schein der Fackeln ein Lied grölte.

„Wir brauchen Hilfe!", rief Julian, als er die fröhliche Runde erreicht hatte.

„Wir auch!", lallte der Spiegelmacher. „Wir brauchen jemanden, der uns neuen Wein holt! Der Krug ist bald leer!" Er brach in schallendes Gelächter aus. Eine junge Frau schmiegte sich an ihn und kicherte albern.

Auch die anderen Gäste amüsierten sich königlich. Unter ihnen waren auch zwei Soldaten.

„Bitte, es geht um Leben und Tod!", flehte Julian. „Meine Freunde schweben in großer Gefahr."

„Beruhig dich, Junge", sagte der Spiegelmacher und goss sich Wein aus dem Tonkrug nach. „Heute feiern wir das Opet-Fest. Niemandem geschieht etwas und alle sind fröhlich, oder?"

„Genau!", riefen die anderen.

Julian ging auf einen der beiden Soldaten zu. „Ihr müsst mir helfen. Da drüben sind ..." Julian brach den Satz ab. Der Soldat glotzte ihn mit glasigen Augen an. Von diesem Betrunkenen konnte Julian keine Hilfe erwarten. Er warf einen schnellen Blick auf den anderen Soldaten. Vielleicht war mit dem mehr los. Irrtum. Der Mann stützte sich auf seinen Speer und schwankte bedenklich. Mit den Typen konnte Julian nicht viel anfangen. Oder vielleicht doch? Julian hatte eine Idee. Er bückte sich und hob einen Stein auf.

„He, ihr Säufer!", brüllte er. „Ihr bekloppten, rotnasigen, besoffenen und stinkenden Trinker!"

Der Mund des Spiegelmachers klappte auf. „Wie hast du uns genannt?"

„Blöde Säufer!", wiederholte Julian laut und machte einen Schritt zurück. Dann hob er den Stein und schmetterte ihn gegen den Weinkrug. Das Gefäß zersprang in tausend Stücke und der Rotwein ergoss sich in den Staub.

„Na warte!“, brüllte der Spiegelmacher und stürmte auf Julian zu.

Der Junge drehte sich um und begann wieder zu rennen – diesmal in die Richtung seiner Freunde. Der Spiegelmacher und seine Gäste verfolgten Julian mit einer Geschwindigkeit, die dieser ihnen in ihrem Zustand nicht zugetraut hätte. Nach einem energischen Sprint erreichte Julian die Stelle, wo er sich von seinen Freunden getrennt hatte. Doch von Kim und Leon war nichts zu sehen. Panik beschlich Julian: Hatten die Verschwörer die beiden etwa schon geschnappt? Keuchend blieb er stehen. In diesem Moment sprang ihn eine Gestalt an und warf ihn zu Boden.

„Einen hab ich!“, brüllte Nebamun. Seine Komplizen tauchten aus der Nacht auf und umzingelten Julian. Hasserfüllte Gesichter starrten ihn an. Er wollte schreien, aber Angst schnürte ihm die Kehle zu.

„Bringen wir es hinter uns“, sagte der Priester und zog den Dolch.

„Halt!“, stoppte ihn ein scharfer Ruf.

Nebamun hielt inne. Seine Männer bildeten eine Gasse. Einer der beiden betrunkenen Soldaten kam heran. Julian stellte zu seiner Überraschung fest, dass der Soldat auf einmal ziemlich nüchtern wirkte.

„Was geht hier vor?“, wollte der Soldat wissen. Hinter ihm tauchten der Spiegelmacher und die anderen auf.

„Nichts!“, antwortete Nebamun rasch und wollte den Dolch verschwinden lassen.

„Ein Priester mit einem Dolch?“, argwöhnte der Soldat. „Und ein Priester, der einen Jungen erstechen will? Der Kleine hat für seine große Klappe zweifellos eine Tracht Prügel verdient, aber nicht den Dolch! Du bist festgenommen, Priester!“

„Was fällt dir ein?“, schnauzte Nebamun den Soldaten an. „Weißt du nicht, wen du vor dir hast?“

Der Soldat richtete seinen Speer auf die Brust des Priesters: „Es ist mir egal, welchen Rang du hast. Du bist bis zur Klärung des Sachverhalts festgenommen. Und deine Freunde gleich mit!“

Nebamun verschränkte die Arme und sagte mit einem fiesen Grinsen: „Dich scheint der Wein übermütig zu machen, Soldat. Ich rieche, dass du während deines Dienstes getrunken hast. Lass uns gehen, und ich will kein Wort über diesen Vorfall verlieren.“

Julian erkannte zu seinem Entsetzen, dass der Soldat unsicher wurde. Auch der andere Soldat schien zu überlegen, ob sie die Sache nicht lieber auf sich beruhen lassen sollten.

„Lasst euch nicht beirren!“, rief Julian. „Der Priester und die anderen sind Verschwörer. Sie wollen die Pharaonin Hatschepsut töten! Sie stecken hinter den Mordanschlägen der letzten Tage.“

Die Soldaten starrten ihn ungläubig an. Da tauchten zwei Kinder und eine Katze auf.

Julians Herz machte einen Sprung – Leon, Kim und Kija waren am Leben!

„Er hat Recht!“, rief Kim den Soldaten zu.

„Wer seid ihr nun wieder?“, wollten die Soldaten wissen.

„Das sind meine Freunde“, sagte Julian. „Und das ist Kija, die heilige Katze von Hatschepsut!“

Die Soldaten beugten sich über das Tier.

„Tatsächlich, bei Amun, ihr sagt die Wahrheit – das ist Kija“, meinten sie ehrfürchtig. „Wir müssen Kija sofort zur Pharaonin bringen. Und ihr kommt alle gleich mit! Sollen die im Palast entscheiden, was mit euch geschehen soll!“

Ein letzter Gruß

Am nächsten Morgen, kurz nach Sonnenaufgang, flog die Tür zu der kleinen Kammer auf und Ani platzte herein.

„He, im ganzen Palast redet man nur über euch!“, rief er begeistert.

Schlaftrunken blinzelten Julian, Kim und Leon ihren ägyptischen Freund an.

„Hat es euch die Sprache verschlagen?“, fragte Ani lachend. „Hopp, aufstehen! Auch wenn Rechmire, der elende Verräter, im Gefängnis schmort, gibt es in der Küche viel zu tun!“

„Langsam, langsam“, versuchte Julian ihn zu bremsen. „Die Nacht war kurz und …“

„Ihr müsst mir alles erzählen“, unterbrach Ani ihn. „Wartet, ich bringe euch einen Krug mit frischem Wasser, das wird euch munter machen.“ Schon war er verschwunden und tauchte keine zwei Minuten später wieder auf. „Los, und jetzt berichtet!“, bat Ani.

Die Freunde nickten. Und dann erzählten sie Ani alles. Von den geheimen Treffpunkten der Verschwörer im Gasthaus „Zum Krokodil“ und im Grab, vom Kampf auf dem Nil und von den angeheiterten Soldaten, die ihnen schließlich das Leben gerettet hatten.

Noch in der Nacht waren die Freunde und die Verschwörer zu Hatschepsut gebracht worden. Nebamun und seine Männer hatten alle Intrigen und Anschläge abgestritten. Also hatte die Pharaonin den Goldschmied herbringen lassen, den Kim in der Nekropole aufgestöbert hatte. Und der hatte in Nebamun den Mann wieder erkannt, für den er das mit Gold und Edelsteinen verzierte Amulett angefertigt hatte.

Der Priester hatte nun eingesehen, dass alles Leugnen nichts nutzte. Er hatte zugegeben, dass er mit diesem Amulett den Attentäter bezahlt hatte, der in den Palastgärten den Pfeil auf Hatschepsut geschossen hatte. Auch Rechmire hatte ein Geständnis abgelegt. Nebamun habe ihm Gold und ein großes Stück Land versprochen, wenn er Gift in die Speisen der Pharaonin mischen würde.

Hatschepsut hatte sich das alles regungslos angehört und dann gesagt: „Amun liebt mich, aber euch nicht. Deshalb hat er mich beschützt.“ Dabei hatte sie Julian, Kim und Leon mit einem anerkennenden Blick bedacht. „Er hat mir Kija geschickt und diese drei klugen Kinder. Ab sofort stehen sie unter meinem persönlichen Schutz." Schließlich hatte sie mit ihren Fingern geschnippt und ihren Schatzmeister kommen lassen. „Gib ihnen Gold, jedem eine Hand voll."

An diesem Punkt beendeten die drei Freunde ihre Erzählung.

Ani sah sie begeistert an. „Jetzt seid ihr reich! Was für eine göttliche Fügung: Vor kurzem wart ihr noch drei Waisenkinder. Und jetzt steht ihr unter dem persönlichen Schutz der Pharaonin! Aber Nebamun, Rechmire und die anderen werden den Zorn der Göttin zu spüren bekommen. Bestimmt wird es noch heute einen Prozess geben – unter dem Vorsitz des strengen Wesirs. Aber sagt mir noch eins: Welche Rolle spielte Inebny in der Sache?"

„Er hatte mit den ganzen Anschlägen nichts zu tun", erklärte Julian. „Inebnys Diener hat in dem Gasthaus von Nebamun angeblich einen magischen Trank gekauft, der Hatschepsuts Herz umstimmen sollte, damit sie sich in Inebny verlieben würde."

„Eine Art Liebestrank", lachte Kim. „Aber ganz offensichtlich völlig nutzlos! Auch das hat Nebamun zugegeben."

„Prima", freute sich Ani. „Aber jetzt lasst uns in die

Küche eilen. Wenn ich nur daran denke, was ich den anderen im Palast noch alles erzählen muss ... Ich glaube, Ani wird heute ein äußerst gefragter Küchenhelfer sein!"

Gegen Mittag wurden Julian, Kim und Leon zum Marktplatz geschickt, um Gewürze zu kaufen. Kim konnte schon wieder gut laufen. Die Schmerzen in ihrem Knöchel hatten nachgelassen. Ein heißer Wüstenwind, der Feueratem der Göttin *Sachmet*, wirbelte durch Theben. Julian, Kim und Leon liefen am Nil entlang. Ein Bauer stand an einem Kanal und schöpfte mit einem *schaduf* Wasser, während ein Händler zwei Esel, die mit Stoffen hoch beladen waren, zur Eile antrieb. Frauen knieten am Ufer des Nils und wuschen Wäsche.

„Denkt ihr, was ich denke?", fragte Julian.

„Ja, unsere Reise geht zu Ende", sagte Kim und seufzte. „Wir wissen nun, wer hinter den Mordanschlägen steckt, von denen in den Geschichtsbüchern die Rede ist. Aber ich werde Kija total vermissen."

„Ja, und Ani auch", ergänzte Leon. „Unser Freund ist echt in Ordnung. Wir sollten ihm etwas zum Abschied schenken."

„Habe ich auch gedacht", meinte Julian. „Wir könnten ihm das Gold geben. Er kann es bestimmt gut gebrauchen."

„Er würde es niemals annehmen", gab Leon zu bedenken.

„Dann dürfen wir ihm eben keine Wahl lassen", meinte Kim. „Kommt Jungs, wir legen ihm das ganze Gold unter seine Matte."

„Wir müssen aber noch einen Brief verfassen", erklärte Julian. „Dafür brauchen wir einen Schreiber."

Einen Schreiber fanden sie kurz darauf auf dem Marktplatz.

„Würdest du für uns eine Botschaft schreiben?", fragte Julian den Gelehrten.

„Natürlich, bei *Thot*, dafür bin ich ja hier." Schon hockte sich der Schreiber hin, strich den *Papyrus* auf seinem Schreibbrett glatt und nahm den Pinsel zur Hand. „Wie lautet der Text?"

Julian diktierte: „Lieber Ani, du warst uns ein sehr guter Freund. Aber jetzt müssen wir in die Welt zurückgehen, aus der wir gekommen sind. Leider können wir dir das nicht genauer erklären. Aber vielleicht sehen wir uns einmal wieder. Unter deiner Schlafmatte liegt ein Geschenk für dich. Und pass gut auf Kija auf!"

Der Schreiber setzte den Pinsel ab. „Ist das alles?"

Julian bezahlte den Gelehrten und rollte den Papyrus zusammen. Dann liefen die Freunde zu den Unterkünften der Diener zurück und versteckten den Beutel mit Gold unter Anis Schlafstätte. Vor der Tür gaben sie den Brief einem Mädchen, das ihn Ani bringen sollte.

„Hoffentlich kann Ani überhaupt lesen", meinte Kim nachdenklich, als sie wieder auf dem Weg in die Innenstadt waren.

„Vermutlich nicht", meinte Julian. „Aber dann wird es ihm jemand vorlesen."

Die Freunde liefen auf den Hafen zu und kamen noch einmal am mächtigen Tempel vorbei.

„Was für eine Pracht", flüsterte Julian ehrfürchtig und blieb stehen.

„Komm, Julian, lass uns weitergehen, bevor man uns in der Küche vermisst und womöglich nach uns sucht", bat Kim.

Nur ungern trennte sich Julian von dem einzigartigen Anblick. Wenig später gelangten sie in den Hafen. Nach einigem Suchen fanden sie die große Dattelpalme neben dem Ziehbrunnen und dem verfallenen Haus wieder, wo sie am ersten Abend in Theben gelandet waren. Weit und breit war niemand zu sehen. Die

Bauern, die in den wenigen umliegenden Häusern lebten, hatten sich offenbar vor den sengenden Strahlen der Sonne zurückgezogen.

Plötzlich war ein Miauen zu hören. Die Kinder fuhren herum. Kija kam auf sie zu!

„He, was machst du denn hier?“, rief Leon erfreut. Er und seine Freunde knieten sich hin und streichelten das schöne Tier. Kija schnurrte.

„Ich werde dich ganz fürchterlich vermissen“, sagte Kim noch einmal. Sie nahm die Katze auf den Arm und drückte sie fest an sich. Kim sah in den klaren blauen Himmel, damit die Freunde ihre Tränen nicht bemerkten. Aber dann hörte Kim unterdrücktes Schniefen – sowohl von Leon als auch von Julian.

Nachdem die Freunde von Kija ausgiebig Abschied genommen hatten, stand Leon schließlich als Erster auf.

„Wir müssen los“, sagte er bestimmt. „Kommt!“

Nur widerwillig trennte sich Kim von der Katze und ging mit den anderen auf den Baum zu. Leon wagte als Erster den entscheidenden Schritt. Zunächst schien es, als würde er gegen die Palme laufen. Doch plötzlich war Leon verschwunden. Julian folgte ihm.

Kija beobachtete die Szene mit schief gelegtem Kopf. Es war ihr deutlich anzusehen, dass ihr das alles überhaupt nicht gefiel. Und als auch noch Kim in der Palme zu verschwinden drohte, kam Bewegung in ihren eleganten Körper. Mit einem Satz sprang sie in Kims Arme.

„Du kannst nicht mit, Kija! Du musst zurück zu Hatschepsut, deiner Pharaonin! Wer soll denn sonst auf sie aufpassen?", rief Kim verzweifelt.

Kija sah sie aus großen, warmen Augen an und zwinkerte ihr zu. Und da hatte Kim verstanden. Sie presste das Tier fest an sich, zählte leise bis drei und ging in den Baum hinein. Die Freunde wurden in einen schwarzen Strudel gezogen. Plötzlich waren sie wieder im Zeit-Raum „Tempus" gelandet.

Die Rückreise

Tempus empfing die Freunde mit bebendem Boden, schwankenden Wänden und ächzenden Türen. Auch jetzt war das Licht diffus und durch einen feinen bläulichen Nebel gedämpft. Ein furioses Durcheinander von Geräuschen stürmte auf die Freunde ein. Plötzlich war ein lautes Krachen zu hören: Die Pforte mit der Zahl 1478 war zugeschlagen.

„Raus, wir müssen hier raus!“, brüllte Leon gegen den Orkan aus Lärm an.

„Großartige Idee“, rief Kim. „Hast du auch eine Ahnung, wo der Ausgang ist?“

Leon schüttelte den Kopf. Da erblickte er die Katze und sah Kim fragend an.

„Sie wollte unbedingt mit“, sagte Kim.

„Ich glaube, Kija hat eine Idee“, schrie Julian in diesem Augenblick. „Seht nur!“

Die Katze lief los. Ihr Fell war gesträubt und verriet höchste Anspannung, wenn nicht sogar Angst. Die

Freunde folgten dem Tier. Zielstrebig flitzte Kija über den pulsierenden Boden. Plötzlich tauchte eine weitere Tür auf, die sich allerdings von den anderen unterschied. Über ihr stand keine Jahreszahl, aber dafür war ihr Rahmen mit vielen Symbolen verziert: Sonnen, Mondsicheln, Sterne, dämonische Fratzen und Totenköpfe.

Julian erkannte die Tür sofort wieder. „Hier sind wir hereingekommen." Schon hatte er den Türgriff gepackt und daran gezogen. Schwerfällig, fast widerwillig, schwang die Tür auf. Rasch drängten sich die Kinder und die Katze hindurch. Das Tor zur Zeit schloss sich hinter ihnen.

Still und friedlich lag die alte Bibliothek vor den Freunden.

„Seid ihr okay?", fragte Julian. Er konnte es noch nicht richtig fassen, dass sie wieder zurück waren.

„Ja", antworteten Leon und Kim gleichzeitig. Ihre Stimmen klangen seltsam heiser.

„Und Kija, ich meine, es kann doch gar nicht …" Julian sprach den Satz nicht zu Ende. Er beugte sich zu dem Tier und sah in ihre rätselhaften grünen Augen. Kija maunzte. „Sie ist es", meinte Julian verdattert. „Es ist unsere Kija. Und sie ist jetzt etwa 3500 Jahre alt!"

„Nach dieser Reise wundert mich überhaupt nichts

mehr“, sagte Kim und grinste. „Ich bin froh, dass es Kija so gut geht.“

Die Katze begann, neugierig und ohne jede Scheu durch den Raum zu stöbern.

Leon sah an sich herab. „Seht mal, wir haben wieder unsere alten Klamotten an! Sogar meine Uhr ist da. Es ist noch nicht einmal eine Minute vergangen, seit wir nach Ägypten aufgebrochen sind.“

Julian nickte. „Opa Reginald hat nicht geflunkert. Tempus funktioniert tatsächlich! Es ist einfach unglaublich. Unglaublich schön und spannend“, sagte er voller Begeisterung.

„Und damit das so bleibt, sollten wir den Eingang zu Tempus wieder verbergen. Jungs, packt mal mit an“, rief Kim. Gemeinsam schoben sie das Regal vor das Tor zum Zeit-Raum.

„Perfekt, niemand wird etwas bemerken“, urteilte Julian wenig später. „Was meint ihr: Sollen wir an unserem Referat über Hatschepsut weiterarbeiten?“

„Klar!“, kam es zurück. „Material haben wir ja jetzt genug!“

Drei Tage später hatte der Alltag die Freunde wieder. Jedenfalls fast. Zumindest in Kims Zimmer hatte sich etwas dauerhaft verändert. Kija war da! Weil Julians

Eltern grundsätzlich keine Haustiere akzeptierten und Leons Vater an einer Katzenhaarallergie litt, hatten die Freunde beschlossen, dass die Katze bei Kim einziehen sollte. Deren Eltern hatten nach anfänglichem Zögern zugestimmt. Und nun stand in Kims Zimmer ein Kratzbaum, den Leon selbst zusammengezimmert hatte. Neben dem Bett stand ein Körbchen, das Kija allerdings nicht benutzte. Sie kroch grundsätzlich mit ins Bett und rollte sich am Fußende zusammen. Ein Wecker war überflüssig geworden. Bei Tagesanbruch weckte Kija das Mädchen, indem sie sich vom Fußende des Bettes langsam zum Kissen vorarbeitete, leise maunzte und ihren Kopf an Kim rieb.

Auch heute hatte der Weckdienst einwandfrei funktioniert. Und nun stand Kim mit Julian und Leon vor ihrer Klasse. Sie hielten ihr Referat, das sie „Hatschepsut, die erste bedeutende Frau der Geschichte“ überschrieben hatten. Die Freunde trugen ihren Text abwechselnd vor. Zudem hatte Leon einige Folien für den Overheadprojektor vorbereitet. An der Wand erschienen nach und nach Landkarten, Skizzen und wichtige Fachbegriffe mit ihren Erklärungen.

Galten sonst die Referate für manche Schüler als willkommene Gelegenheit, ein Nickerchen zu halten, so war es diesmal anders. Sämtliche Schüler waren hellwach und lauschten gebannt. Vor allem, als Julian von den Verschwörungen und Mordplänen gegen die schöne Pharaonin berichtete, herrschte höchste Aufmerksamkeit. Aber auch Leons Ausführungen, wie ein Grab von innen aussah, fand großes Interesse. Kim lockerte das Ganze mit ihrem Bericht über die damalige Mode, Schminktipps und die Duftkegel auf den Köpfen von altägyptischen Partygängern auf.

Auch Lehrer Tebelmann sah mit großen Augen die drei Freunde an und putzte sich immer wieder beeindruckt die Brille.

„Große Klasse!“, lobte der Lehrer, als Julian, Kim und Leon unter dem Beifall der Zuhörer das Referat beendet hatten. „Das war wirklich sehr anschaulich. Man könnte fast meinen, ihr wärt im alten Ägypten gewesen!“

Die Freunde sahen sich an und mussten lachen.

Wer war Hatschepsut?

Bis heute ist nicht eindeutig geklärt, wann Hatschepsut genau gelebt hat. Wahrscheinlich ist, dass sie um 1500/1495 vor Christus geboren wurde. Verschiedene bedeutende Ägyptologen kamen jedoch zu unterschiedlichen Datierungen. Der Autor hält sich an die Ergebnisse des Historikers Manfred Clauss („Das Alte Ägypten", Alexander Fest Verlag).

Demnach regierte Hatschepsut zunächst gemeinsam mit ihrem Halbbruder und Ehemann Thutmosis II. von 1482 bis 1479 vor Christus. In dieser Zeit war Thutmosis II. Pharao, Hatschepsut „nur" Regentin. Nach Thutmosis' Tod im Frühjahr 1479 ließ sich Hatschepsut 1478 zur Königin ausrufen. Dabei konnte (und musste) sie sich auf eine mächtige Partei an ihrem Hof verlassen, denn ihr Vorgehen wurde von vielen als Staatsstreich empfunden. Schließlich übernahm hier eine Frau das traditionell rein männliche Amt des Pharaos.

Hatschepsut versuchte ihre Kritiker zu beruhigen, indem sie Thutmosis III. (einen Sohn von Thutmosis II. und einer seiner Nebenfrauen), der zum Zeitpunkt ihrer Krönung noch ein Kind war, zum Mitregenten erhob. Doch auch als Thutmosis III. erwachsen war, ließ ihn Hatschepsut nicht an die Macht. Hatschepsut regierte bis zu ihrem Tod im Jahr 1457 vor Christus. Laut Manfred Clauss war ihr Regierungsstil vor allem durch friedliche Beziehungen zu den Nachbarstaaten, wagemutige Expeditionen (zum Beispiel im Jahr 1472 nach Punt an der Somaliküste) und rege Bautätigkeit geprägt. Anderen Quellen zufolge scheute sich Hatschepsut aber auch nicht, an der Spitze ihrer Truppen in die Schlacht zu ziehen.

Ein bleibendes Denkmal schuf sich Hatschepsut durch den Bau ihres Totentempels Deir el-Bahari in Theben. Dieser Tempel gilt als eines der feinsten und anmutigsten Bauwerke, die je auf ägyptischem Boden entstanden sind. Ob Hatschepsut ermordet wurde oder eines natürlichen Todes starb, ist ungewiss. Sicher ist nur, dass sich Thutmosis III., dem Hatschepsut den Thron viele Jahre vorenthalten hatte, bitter rächte: Er ließ viele Statuen der Königin zerstören, ihre Bilder aus Reliefs herausmeißeln und ihren Namen auf fast allen Denkmälern tilgen. Dennoch gelang es Thutmosis III. nicht, den Namen der Frau endgültig auszulöschen, die von vielen Historikern als die erste bedeutende Frau der Geschichte bezeichnet wird: den Namen von Hatschepsut, der „vollkommenen Göttin“.

Glossar

Amun oberster Reichsgott, wird sitzend mit einem Zepter oder stehend mit einer Krone und zwei hohen Federn dargestellt

Ankh Henkelkreuz, symbolisierte ewiges Leben

Anubis Gott mit einem schwarzen Hundekopf. Er stand dem Totenkult vor, galt auch als zuständig für das Einbalsamieren. Während des Einbalsamierens trug der Oberpriester die Maske des Anubis.

Bastet Katzengöttin

Chons Mondgott in der Gestalt eines Kindes

Diadem Stirnband mit Edelsteinen

Einbalsamieren (Mumifizierung) Konservierung einer Leiche

Hathor Himmelsgöttin, die manchmal auch in Kuhgestalt verehrt wurde

Henket Bier

Horus falkenköpfiger Gott, der vom Pharao/von der Pharaonin verkörpert wurde.

Ipet-isut altägyptische Bezeichnung für Karnak, übersetzt: Auserwählte der Stätten

Irep Wein

Irtet Milch

Kanopen Mit einem Deckel verschlossene Vasen, in denen die Eingeweide der mumifizierten Körper aufbewahrt wurden. Es waren jeweils vier Kanopen für Leber, Lungen, Magen und Darm.

Karnak Tempelbereich in Theben mit dem Haupttempel des Gottes Amun

Lapislazuli blauer Lasurstein

Latos großer Nilbarsch

Maat Göttin der Wahrheit, Gerechtigkeit und der Weltordnung

Medjai Hilfstruppen der Polizei

Month Kriegsgott, zunächst mit Falkenkopf, später mit einem Stierkopf dargestellt

Mut Göttin mit einem Geierkopf, Gattin des Amun, Mutter des Chons

Naos Schrein, der einem Gott als Wohnort diente

Nekropole Totenstadt

Obelisk langer, stehender Steinblock mit quadratischer Basis, der sich nach oben verjüngt und in einer Spitze mündet; vom griechischen Wort *obeliskos* (= Bratspieß) abgeleitet

Opet-Fest Jährliches Fest, bei dem die Götter Amun, Mut und Chons sowie der Pharao/die Pharaonin von Priestern aus ihren Tempeln getragen und dem einfachen Volk gezeigt wurden

Osiris Vogelköpfiger Gott der Toten, der Unterwelt und der Auferstehung

Papyrus Pflanze, aus der die Ägypter Seile, Matten, Körbe, Segel, Schurze, Sandalen, leichte Boote – vor allem aber auch ihr Papier – herstellten

Pylon großes, von Ecktürmen flankiertes Eingangstor altägyptischer Tempel und Paläste

Re falkenköpfiger Sonnengott

Sachmet löwenköpfige Göttin, deren Feueratem die heißen Wüstenwinde waren; Kriegsgöttin

Schaduf Gerät, mit dem man Wasser aus dem Fluss schöpfen konnte.
Schadufs bestanden aus einer langen Stange, an deren einem Ende ein Eimer und am anderen ein schweres Gewicht hing. Schadufs waren nach allen Seiten schwenkbar.

Sechemty Ägyptischer Name für die Doppelkrone, was so viel bedeutet wie „die beiden Mächtigen“. Die Doppelkrone trugen die Pharaonen nach der Vereinigung von Unter- und Oberägypten.

Sistre gitarrenähnliches Zupfinstrument

Skarabäus Käfer mit vier Flügeln (*Scarabaeus sacer*), der als Vorlage für viele Amulette diente. Diese Amulette sollten „den Lebenshauch verleihen“.

Sobek Krokodilgott, dargestellt mit einem Krokodilskopf

Uräusschlange Macht- und Schutzsymbol der Pharaonen in Form einer Kobra

Sphinx (Mehrzahl: Sphingen) Statuen mit einem Mensch- oder Tierkopf. Sphingen bewachten Tempel und andere Kultorte.

Thot eine Mondgottheit, auch Gott des Schreibens, Wissens und Berechnens; als Ibis oder Pavian dargestellt

Wesir Vorsteher des ägyptischen Beamtentums

Die Zeitdetektive

Spannende Reisen durch die Zeit

Habt ihr schon mal einen Abstecher auf die Homepage

www.zeitdetektive.de

gemacht? Dort könnt ihr selbst einen Ausflug in den geheimnisvollen **Zeit-Raum Tempus** machen, euch im **Forum** mit anderen Fans austauschen und am **Zeitdetektiv-Lexikon** mitschreiben. Außerdem erfahrt ihr natürlich alles über den **Autor Fabian Lenk!**

Geschätzte Leser!

Das war vielleicht knapp: Hätten mich meine neuen Freunde Julian, Leon und Kim nicht gerettet, hätte ich meiner Herrin Hatschepsut nicht mehr helfen können! Wer konnte auch ahnen, dass man sie vergiften wollte!

Zum Glück waren die Zeitdetektive da! Ich bin ihnen sehr dankbar. Und ich habe beschlossen, von nun an mit ihnen durch die Zeit zu reisen. Auf ins Abenteuer!

Doch nun zu euch: Erinnert ihr euch noch, wie man die altägyptischen Herrscher nennt?

ZD_09_019

Mit der richtigen Antwort auf meine Frage könnt ihr auf

www.zeitdetektive.de

spannende Fakten über die Herrscher im alten Ägypten erfahren!

Frage: Wie hießen die Herrscher im alten Ägypten?

- **Cäsaren** **65k592**
- **Sultane** **29m565**
- **Pharaonen** **92a655**

Gebt auf der Homepage einfach den Code ein, der hinter der richtigen Antwort steht – ich bin mir sicher, ihr werdet die Nuss knacken. Kleiner Tipp: Das Glossar in diesem Buch ist sehr hilfreich!

Es grüßt euch hochachtungsvoll

eure Kija

Ravensburger

ZD_09_020